THIS BOOK BELONGS TO:

CONTACT INFORMATION	
NAME:	
ADDRESS:	
PHONE:	

START / END DATES

/ /   TO   / / .

SLEEP JOURNAL

DATE:		DAY:	O MON	O TUE	O WED	O THU	O FRI	O SAT	O SUN

EVENING ASSESSMENT

QUANTITY OF WATER CONSUMED		TOTAL EXERCISE TIME	
QUANTITY OF CAFFEINE / ALCOHOL		QUANTITY OF NICOTINE	

FOOD CONSUMED AFTER 6 P.M.	NAPS TAKE AND TIMES
	1
	2
	3

MEDICATIONS TAKEN	TIME	DOSAGE	TIMES

ACTIVITIES DONE TODAY	HOW DID I FEEL TODAY

MORNING ASSESSMENT

TIME I WENT TO BED		TIME I FELL ASLEEP	
NUMBER OF TIMES I WOKE UP		DURATION OF TIME AWAKE	

WHAT I WAS DOING BEFORE I FEEL ASLEEP	

WHAT WOKE ME UP	O TOILET	O TOO COLD	O BAD DREAM
	O ANXIETY	O UNCOMFORTABLE	O OTHER
WHAT HELPED ME FALL BACK ASLEEP	O EXERCISE	O BOOK	O MUSIC
	O FOOD	O MEDICATION	O OTHER

TIME I WOKE UP		TOTAL SLEEP TIME	

MY SLEEP RATING	O [1] O [2] O [3] O [4] O [5] O [6] O [7] O [8] O [9] O [10]

DID I SLEEP BETTER THAN THE NIGHT BEFORE?	O YES O NO

SLEEP JOURNAL

DATE:		DAY:	O MON	O TUE	O WED	O THU	O FRI	O SAT	O SUN

EVENING ASSESSMENT

QUANTITY OF WATER CONSUMED		TOTAL EXERCISE TIME	
QUANTITY OF CAFFEINE / ALCOHOL		QUANTITY OF NICOTINE	

FOOD CONSUMED AFTER 6 P.M.	NAPS TAKE AND TIMES
	1
	2
	3

MEDICATIONS TAKEN	TIME	DOSAGE	TIMES

ACTIVITIES DONE TODAY	HOW DID I FEEL TODAY

MORNING ASSESSMENT

TIME I WENT TO BED		TIME I FELL ASLEEP	
NUMBER OF TIMES I WOKE UP		DURATION OF TIME AWAKE	

WHAT I WAS DOING BEFORE I FEEL ASLEEP	

WHAT WOKE ME UP	O TOILET	O TOO COLD	O BAD DREAM
	O ANXIETY	O UNCOMFORTABLE	O OTHER

WHAT HELPED ME FALL BACK ASLEEP	O EXERCISE	O BOOK	O MUSIC
	O FOOD	O MEDICATION	O OTHER

TIME I WOKE UP		TOTAL SLEEP TIME	

MY SLEEP RATING	O [1] O [2] O [3] O [4] O [5] O [6] O [7] O [8] O [9] O [10]

DID I SLEEP BETTER THAN THE NIGHT BEFORE?	O YES O NO

SLEEP JOURNAL

DATE:		DAY:	O MON	O TUE	O WED	O THU	O FRI	O SAT	O SUN

EVENING ASSESSMENT

QUANTITY OF WATER CONSUMED		TOTAL EXERCISE TIME	
QUANTITY OF CAFFEINE / ALCOHOL		QUANTITY OF NICOTINE	

FOOD CONSUMED AFTER 6 P.M.	NAPS TAKE AND TIMES
	1
	2
	3

MEDICATIONS TAKEN	TIME	DOSAGE	TIMES

ACTIVITIES DONE TODAY	HOW DID I FEEL TODAY

MORNING ASSESSMENT

TIME I WENT TO BED		TIME I FELL ASLEEP	
NUMBER OF TIMES I WOKE UP		DURATION OF TIME AWAKE	

WHAT I WAS DOING BEFORE I FEEL ASLEEP	

WHAT WOKE ME UP	O TOILET	O TOO COLD	O BAD DREAM
	O ANXIETY	O UNCOMFORTABLE	O OTHER
WHAT HELPED ME FALL BACK ASLEEP	O EXERCISE	O BOOK	O MUSIC
	O FOOD	O MEDICATION	O OTHER

TIME I WOKE UP		TOTAL SLEEP TIME	

MY SLEEP RATING	O [1] O [2] O [3] O [4] O [5] O [6] O [7] O [8] O [9] O [10]

DID I SLEEP BETTER THAN THE NIGHT BEFORE?	O YES O NO

SLEEP JOURNAL

DATE:		DAY:	O MON	O TUE	O WED	O THU	O FRI	O SAT	O SUN

EVENING ASSESSMENT

QUANTITY OF WATER CONSUMED		TOTAL EXERCISE TIME	
QUANTITY OF CAFFEINE / ALCOHOL		QUANTITY OF NICOTINE	

FOOD CONSUMED AFTER 6 P.M.	NAPS TAKE AND TIMES
	1
	2
	3

MEDICATIONS TAKEN	TIME	DOSAGE	TIMES

ACTIVITIES DONE TODAY	HOW DID I FEEL TODAY

MORNING ASSESSMENT

TIME I WENT TO BED		TIME I FELL ASLEEP	
NUMBER OF TIMES I WOKE UP		DURATION OF TIME AWAKE	

WHAT I WAS DOING BEFORE I FEEL ASLEEP	

WHAT WOKE ME UP	O TOILET	O TOO COLD	O BAD DREAM
	O ANXIETY	O UNCOMFORTABLE	O OTHER
WHAT HELPED ME FALL BACK ASLEEP	O EXERCISE	O BOOK	O MUSIC
	O FOOD	O MEDICATION	O OTHER

TIME I WOKE UP		TOTAL SLEEP TIME	

MY SLEEP RATING	O [1] O [2] O [3] O [4] O [5] O [6] O [7] O [8] O [9] O [10]

DID I SLEEP BETTER THAN THE NIGHT BEFORE?	O YES O NO

SLEEP JOURNAL

DATE:		DAY:	O MON	O TUE	O WED	O THU	O FRI	O SAT	O SUN

EVENING ASSESSMENT

QUANTITY OF WATER CONSUMED		TOTAL EXERCISE TIME	
QUANTITY OF CAFFEINE / ALCOHOL		QUANTITY OF NICOTINE	

FOOD CONSUMED AFTER 6 P.M.	NAPS TAKE AND TIMES
	1
	2
	3

MEDICATIONS TAKEN	TIME	DOSAGE	TIMES

ACTIVITIES DONE TODAY	HOW DID I FEEL TODAY

MORNING ASSESSMENT

TIME I WENT TO BED		TIME I FELL ASLEEP	
NUMBER OF TIMES I WOKE UP		DURATION OF TIME AWAKE	

WHAT I WAS DOING BEFORE I FEEL ASLEEP	

WHAT WOKE ME UP	O TOILET	O TOO COLD	O BAD DREAM
	O ANXIETY	O UNCOMFORTABLE	O OTHER
WHAT HELPED ME FALL BACK ASLEEP	O EXERCISE	O BOOK	O MUSIC
	O FOOD	O MEDICATION	O OTHER

TIME I WOKE UP		TOTAL SLEEP TIME	

MY SLEEP RATING	O [1] O [2] O [3] O [4] O [5] O [6] O [7] O [8] O [9] O [10]

DID I SLEEP BETTER THAN THE NIGHT BEFORE?	O YES O NO

SLEEP JOURNAL

DATE:		DAY:	O MON	O TUE	O WED	O THU	O FRI	O SAT	O SUN

EVENING ASSESSMENT

QUANTITY OF WATER CONSUMED		TOTAL EXERCISE TIME	
QUANTITY OF CAFFEINE / ALCOHOL		QUANTITY OF NICOTINE	

FOOD CONSUMED AFTER 6 P.M.	NAPS TAKE AND TIMES
	1
	2
	3

MEDICATIONS TAKEN	TIME	DOSAGE	TIMES

ACTIVITIES DONE TODAY	HOW DID I FEEL TODAY

MORNING ASSESSMENT

TIME I WENT TO BED		TIME I FELL ASLEEP	
NUMBER OF TIMES I WOKE UP		DURATION OF TIME AWAKE	
WHAT I WAS DOING BEFORE I FEEL ASLEEP			

WHAT WOKE ME UP	O TOILET	O TOO COLD	O BAD DREAM
	O ANXIETY	O UNCOMFORTABLE	O OTHER
WHAT HELPED ME FALL BACK ASLEEP	O EXERCISE	O BOOK	O MUSIC
	O FOOD	O MEDICATION	O OTHER

TIME I WOKE UP		TOTAL SLEEP TIME	

MY SLEEP RATING	O [1] O [2] O [3] O [4] O [5] O [6] O [7] O [8] O [9] O [10]

DID I SLEEP BETTER THAN THE NIGHT BEFORE?	O YES O NO

SLEEP JOURNAL

DATE:		DAY:	O MON	O TUE	O WED	O THU	O FRI	O SAT	O SUN

EVENING ASSESSMENT

QUANTITY OF WATER CONSUMED		TOTAL EXERCISE TIME	
QUANTITY OF CAFFEINE / ALCOHOL		QUANTITY OF NICOTINE	

FOOD CONSUMED AFTER 6 P.M.	NAPS TAKE AND TIMES
	1
	2
	3

MEDICATIONS TAKEN	TIME	DOSAGE	TIMES

ACTIVITIES DONE TODAY	HOW DID I FEEL TODAY

MORNING ASSESSMENT

TIME I WENT TO BED		TIME I FELL ASLEEP	
NUMBER OF TIMES I WOKE UP		DURATION OF TIME AWAKE	

WHAT I WAS DOING BEFORE I FEEL ASLEEP	

WHAT WOKE ME UP	O TOILET	O TOO COLD	O BAD DREAM
	O ANXIETY	O UNCOMFORTABLE	O OTHER
WHAT HELPED ME FALL BACK ASLEEP	O EXERCISE	O BOOK	O MUSIC
	O FOOD	O MEDICATION	O OTHER

TIME I WOKE UP		TOTAL SLEEP TIME	

MY SLEEP RATING	O [1] O [2] O [3] O [4] O [5] O [6] O [7] O [8] O [9] O [10]

DID I SLEEP BETTER THAN THE NIGHT BEFORE?	O YES O NO

SLEEP JOURNAL

DATE:		DAY:	O MON	O TUE	O WED	O THU	O FRI	O SAT	O SUN

EVENING ASSESSMENT

QUANTITY OF WATER CONSUMED		TOTAL EXERCISE TIME	
QUANTITY OF CAFFEINE / ALCOHOL		QUANTITY OF NICOTINE	

FOOD CONSUMED AFTER 6 P.M.	NAPS TAKE AND TIMES	
		1
		2
		3

MEDICATIONS TAKEN	TIME	DOSAGE	TIMES

ACTIVITIES DONE TODAY	HOW DID I FEEL TODAY

MORNING ASSESSMENT

TIME I WENT TO BED		TIME I FELL ASLEEP	
NUMBER OF TIMES I WOKE UP		DURATION OF TIME AWAKE	

WHAT I WAS DOING BEFORE I FEEL ASLEEP	

WHAT WOKE ME UP	O TOILET	O TOO COLD	O BAD DREAM
	O ANXIETY	O UNCOMFORTABLE	O OTHER
WHAT HELPED ME FALL BACK ASLEEP	O EXERCISE	O BOOK	O MUSIC
	O FOOD	O MEDICATION	O OTHER

TIME I WOKE UP		TOTAL SLEEP TIME	

MY SLEEP RATING	O [1] O [2] O [3] O [4] O [5] O [6] O [7] O [8] O [9] O [10]

DID I SLEEP BETTER THAN THE NIGHT BEFORE?	O YES O NO

SLEEP JOURNAL

DATE:		DAY:	O MON	O TUE	O WED	O THU	O FRI	O SAT	O SUN

EVENING ASSESSMENT

QUANTITY OF WATER CONSUMED		TOTAL EXERCISE TIME	
QUANTITY OF CAFFEINE / ALCOHOL		QUANTITY OF NICOTINE	

FOOD CONSUMED AFTER 6 P.M.	NAPS TAKE AND TIMES
	1
	2
	3

MEDICATIONS TAKEN	TIME	DOSAGE	TIMES

ACTIVITIES DONE TODAY	HOW DID I FEEL TODAY

MORNING ASSESSMENT

TIME I WENT TO BED		TIME I FELL ASLEEP	
NUMBER OF TIMES I WOKE UP		DURATION OF TIME AWAKE	

WHAT I WAS DOING BEFORE I FEEL ASLEEP	

WHAT WOKE ME UP	O TOILET	O TOO COLD	O BAD DREAM
	O ANXIETY	O UNCOMFORTABLE	O OTHER
WHAT HELPED ME FALL BACK ASLEEP	O EXERCISE	O BOOK	O MUSIC
	O FOOD	O MEDICATION	O OTHER

TIME I WOKE UP		TOTAL SLEEP TIME	

MY SLEEP RATING	O [1] O [2] O [3] O [4] O [5] O [6] O [7] O [8] O [9] O [10]

DID I SLEEP BETTER THAN THE NIGHT BEFORE?	O YES O NO

SLEEP JOURNAL

DATE:		DAY:	O MON	O TUE	O WED	O THU	O FRI	O SAT	O SUN

EVENING ASSESSMENT

QUANTITY OF WATER CONSUMED		TOTAL EXERCISE TIME	
QUANTITY OF CAFFEINE / ALCOHOL		QUANTITY OF NICOTINE	

FOOD CONSUMED AFTER 6 P.M.	NAPS TAKE AND TIMES	
	1	
	2	
	3	

MEDICATIONS TAKEN	TIME	DOSAGE	TIMES

ACTIVITIES DONE TODAY	HOW DID I FEEL TODAY

MORNING ASSESSMENT

TIME I WENT TO BED		TIME I FELL ASLEEP	
NUMBER OF TIMES I WOKE UP		DURATION OF TIME AWAKE	

WHAT I WAS DOING BEFORE I FEEL ASLEEP			
WHAT WOKE ME UP	O TOILET	O TOO COLD	O BAD DREAM
	O ANXIETY	O UNCOMFORTABLE	O OTHER
WHAT HELPED ME FALL BACK ASLEEP	O EXERCISE	O BOOK	O MUSIC
	O FOOD	O MEDICATION	O OTHER

TIME I WOKE UP		TOTAL SLEEP TIME	

MY SLEEP RATING	O [1] O [2] O [3] O [4] O [5] O [6] O [7] O [8] O [9] O [10]

DID I SLEEP BETTER THAN THE NIGHT BEFORE?	O YES O NO

SLEEP JOURNAL

DATE:		DAY:	O MON	O TUE	O WED	O THU	O FRI	O SAT	O SUN

EVENING ASSESSMENT

QUANTITY OF WATER CONSUMED		TOTAL EXERCISE TIME	
QUANTITY OF CAFFEINE / ALCOHOL		QUANTITY OF NICOTINE	

FOOD CONSUMED AFTER 6 P.M.	NAPS TAKE AND TIMES
	1
	2
	3

MEDICATIONS TAKEN	TIME	DOSAGE	TIMES

ACTIVITIES DONE TODAY	HOW DID I FEEL TODAY

MORNING ASSESSMENT

TIME I WENT TO BED		TIME I FELL ASLEEP	
NUMBER OF TIMES I WOKE UP		DURATION OF TIME AWAKE	

WHAT I WAS DOING BEFORE I FEEL ASLEEP	

WHAT WOKE ME UP	O TOILET	O TOO COLD	O BAD DREAM
	O ANXIETY	O UNCOMFORTABLE	O OTHER
WHAT HELPED ME FALL BACK ASLEEP	O EXERCISE	O BOOK	O MUSIC
	O FOOD	O MEDICATION	O OTHER

TIME I WOKE UP		TOTAL SLEEP TIME	

MY SLEEP RATING	O [1] O [2] O [3] O [4] O [5] O [6] O [7] O [8] O [9] O [10]

DID I SLEEP BETTER THAN THE NIGHT BEFORE?	O YES O NO

SLEEP JOURNAL

DATE:		DAY:	O MON	O TUE	O WED	O THU	O FRI	O SAT	O SUN

EVENING ASSESSMENT

QUANTITY OF WATER CONSUMED		TOTAL EXERCISE TIME	
QUANTITY OF CAFFEINE / ALCOHOL		QUANTITY OF NICOTINE	

FOOD CONSUMED AFTER 6 P.M.	NAPS TAKE AND TIMES
	1
	2
	3

MEDICATIONS TAKEN	TIME	DOSAGE	TIMES

ACTIVITIES DONE TODAY	HOW DID I FEEL TODAY

MORNING ASSESSMENT

TIME I WENT TO BED		TIME I FELL ASLEEP	
NUMBER OF TIMES I WOKE UP		DURATION OF TIME AWAKE	

WHAT I WAS DOING BEFORE I FEEL ASLEEP	

WHAT WOKE ME UP	O TOILET	O TOO COLD	O BAD DREAM
	O ANXIETY	O UNCOMFORTABLE	O OTHER

WHAT HELPED ME FALL BACK ASLEEP	O EXERCISE	O BOOK	O MUSIC
	O FOOD	O MEDICATION	O OTHER

TIME I WOKE UP		TOTAL SLEEP TIME	

MY SLEEP RATING	O [1] O [2] O [3] O [4] O [5] O [6] O [7] O [8] O [9] O [10]

DID I SLEEP BETTER THAN THE NIGHT BEFORE?	O YES O NO

SLEEP JOURNAL

DATE:		DAY:	O MON	O TUE	O WED	O THU	O FRI	O SAT	O SUN

EVENING ASSESSMENT

QUANTITY OF WATER CONSUMED		TOTAL EXERCISE TIME	
QUANTITY OF CAFFEINE / ALCOHOL		QUANTITY OF NICOTINE	

FOOD CONSUMED AFTER 6 P.M.	NAPS TAKE AND TIMES
	1
	2
	3

MEDICATIONS TAKEN	TIME	DOSAGE	TIMES

ACTIVITIES DONE TODAY	HOW DID I FEEL TODAY

MORNING ASSESSMENT

TIME I WENT TO BED		TIME I FELL ASLEEP	
NUMBER OF TIMES I WOKE UP		DURATION OF TIME AWAKE	

WHAT I WAS DOING BEFORE I FEEL ASLEEP	

WHAT WOKE ME UP	O TOILET	O TOO COLD	O BAD DREAM
	O ANXIETY	O UNCOMFORTABLE	O OTHER
WHAT HELPED ME FALL BACK ASLEEP	O EXERCISE	O BOOK	O MUSIC
	O FOOD	O MEDICATION	O OTHER

TIME I WOKE UP		TOTAL SLEEP TIME	

MY SLEEP RATING	O [1] O [2] O [3] O [4] O [5] O [6] O [7] O [8] O [9] O [10]

DID I SLEEP BETTER THAN THE NIGHT BEFORE?	O YES O NO

SLEEP JOURNAL

DATE:		DAY:	O MON	O TUE	O WED	O THU	O FRI	O SAT	O SUN

EVENING ASSESSMENT

QUANTITY OF WATER CONSUMED		TOTAL EXERCISE TIME	
QUANTITY OF CAFFEINE / ALCOHOL		QUANTITY OF NICOTINE	

FOOD CONSUMED AFTER 6 P.M.	NAPS TAKE AND TIMES
	1
	2
	3

MEDICATIONS TAKEN	TIME	DOSAGE	TIMES

ACTIVITIES DONE TODAY	HOW DID I FEEL TODAY

MORNING ASSESSMENT

TIME I WENT TO BED		TIME I FELL ASLEEP	
NUMBER OF TIMES I WOKE UP		DURATION OF TIME AWAKE	

WHAT I WAS DOING BEFORE I FEEL ASLEEP	

WHAT WOKE ME UP	O TOILET	O TOO COLD	O BAD DREAM
	O ANXIETY	O UNCOMFORTABLE	O OTHER

WHAT HELPED ME FALL BACK ASLEEP	O EXERCISE	O BOOK	O MUSIC
	O FOOD	O MEDICATION	O OTHER

TIME I WOKE UP		TOTAL SLEEP TIME	

MY SLEEP RATING	O [1] O [2] O [3] O [4] O [5] O [6] O [7] O [8] O [9] O [10]

DID I SLEEP BETTER THAN THE NIGHT BEFORE?	O YES O NO

SLEEP JOURNAL

DATE:		DAY:	O MON	O TUE	O WED	O THU	O FRI	O SAT	O SUN

EVENING ASSESSMENT

QUANTITY OF WATER CONSUMED		TOTAL EXERCISE TIME	
QUANTITY OF CAFFEINE / ALCOHOL		QUANTITY OF NICOTINE	

FOOD CONSUMED AFTER 6 P.M.	NAPS TAKE AND TIMES
	1
	2
	3

MEDICATIONS TAKEN	TIME	DOSAGE	TIMES

ACTIVITIES DONE TODAY	HOW DID I FEEL TODAY

MORNING ASSESSMENT

TIME I WENT TO BED		TIME I FELL ASLEEP	
NUMBER OF TIMES I WOKE UP		DURATION OF TIME AWAKE	

WHAT I WAS DOING BEFORE I FEEL ASLEEP	

WHAT WOKE ME UP	O TOILET	O TOO COLD	O BAD DREAM
	O ANXIETY	O UNCOMFORTABLE	O OTHER
WHAT HELPED ME FALL BACK ASLEEP	O EXERCISE	O BOOK	O MUSIC
	O FOOD	O MEDICATION	O OTHER

TIME I WOKE UP		TOTAL SLEEP TIME	

MY SLEEP RATING	O [1] O [2] O [3] O [4] O [5] O [6] O [7] O [8] O [9] O [10]

DID I SLEEP BETTER THAN THE NIGHT BEFORE?	O YES O NO

SLEEP JOURNAL

DATE:		DAY:	O MON	O TUE	O WED	O THU	O FRI	O SAT	O SUN

EVENING ASSESSMENT

QUANTITY OF WATER CONSUMED		TOTAL EXERCISE TIME	
QUANTITY OF CAFFEINE / ALCOHOL		QUANTITY OF NICOTINE	

FOOD CONSUMED AFTER 6 P.M.	NAPS TAKE AND TIMES	
		1
		2
		3

MEDICATIONS TAKEN	TIME	DOSAGE	TIMES

ACTIVITIES DONE TODAY	HOW DID I FEEL TODAY

MORNING ASSESSMENT

TIME I WENT TO BED		TIME I FELL ASLEEP	
NUMBER OF TIMES I WOKE UP		DURATION OF TIME AWAKE	

WHAT I WAS DOING BEFORE I FEEL ASLEEP			
WHAT WOKE ME UP	O TOILET	O TOO COLD	O BAD DREAM
	O ANXIETY	O UNCOMFORTABLE	O OTHER
WHAT HELPED ME FALL BACK ASLEEP	O EXERCISE	O BOOK	O MUSIC
	O FOOD	O MEDICATION	O OTHER

TIME I WOKE UP		TOTAL SLEEP TIME	

MY SLEEP RATING	O [1] O [2] O [3] O [4] O [5] O [6] O [7] O [8] O [9] O [10]

DID I SLEEP BETTER THAN THE NIGHT BEFORE?	O YES O NO

SLEEP JOURNAL

DATE:		DAY:	O MON	O TUE	O WED	O THU	O FRI	O SAT	O SUN

EVENING ASSESSMENT

QUANTITY OF WATER CONSUMED		TOTAL EXERCISE TIME	
QUANTITY OF CAFFEINE / ALCOHOL		QUANTITY OF NICOTINE	

FOOD CONSUMED AFTER 6 P.M.	NAPS TAKE AND TIMES
	1
	2
	3

MEDICATIONS TAKEN	TIME	DOSAGE	TIMES

ACTIVITIES DONE TODAY	HOW DID I FEEL TODAY

MORNING ASSESSMENT

TIME I WENT TO BED		TIME I FELL ASLEEP	
NUMBER OF TIMES I WOKE UP		DURATION OF TIME AWAKE	

WHAT I WAS DOING BEFORE I FEEL ASLEEP	

WHAT WOKE ME UP	O TOILET	O TOO COLD	O BAD DREAM
	O ANXIETY	O UNCOMFORTABLE	O OTHER
WHAT HELPED ME FALL BACK ASLEEP	O EXERCISE	O BOOK	O MUSIC
	O FOOD	O MEDICATION	O OTHER

TIME I WOKE UP		TOTAL SLEEP TIME	

MY SLEEP RATING	O [1] O [2] O [3] O [4] O [5] O [6] O [7] O [8] O [9] O [10]

DID I SLEEP BETTER THAN THE NIGHT BEFORE?	O YES O NO

SLEEP JOURNAL

DATE:		DAY:	O MON	O TUE	O WED	O THU	O FRI	O SAT	O SUN

EVENING ASSESSMENT

QUANTITY OF WATER CONSUMED		TOTAL EXERCISE TIME	
QUANTITY OF CAFFEINE / ALCOHOL		QUANTITY OF NICOTINE	

FOOD CONSUMED AFTER 6 P.M.	NAPS TAKE AND TIMES
	1
	2
	3

MEDICATIONS TAKEN	TIME	DOSAGE	TIMES

ACTIVITIES DONE TODAY	HOW DID I FEEL TODAY

MORNING ASSESSMENT

TIME I WENT TO BED		TIME I FELL ASLEEP	
NUMBER OF TIMES I WOKE UP		DURATION OF TIME AWAKE	

WHAT I WAS DOING BEFORE I FEEL ASLEEP			
WHAT WOKE ME UP	O TOILET	O TOO COLD	O BAD DREAM
	O ANXIETY	O UNCOMFORTABLE	O OTHER
WHAT HELPED ME FALL BACK ASLEEP	O EXERCISE	O BOOK	O MUSIC
	O FOOD	O MEDICATION	O OTHER

TIME I WOKE UP		TOTAL SLEEP TIME	

MY SLEEP RATING	O [1] O [2] O [3] O [4] O [5] O [6] O [7] O [8] O [9] O [10]

DID I SLEEP BETTER THAN THE NIGHT BEFORE?	O YES O NO

SLEEP JOURNAL

DATE:		DAY:	O MON	O TUE	O WED	O THU	O FRI	O SAT	O SUN

EVENING ASSESSMENT

QUANTITY OF WATER CONSUMED		TOTAL EXERCISE TIME	
QUANTITY OF CAFFEINE / ALCOHOL		QUANTITY OF NICOTINE	

FOOD CONSUMED AFTER 6 P.M.	NAPS TAKE AND TIMES
	1
	2
	3

MEDICATIONS TAKEN	TIME	DOSAGE	TIMES

ACTIVITIES DONE TODAY	HOW DID I FEEL TODAY

MORNING ASSESSMENT

TIME I WENT TO BED		TIME I FELL ASLEEP	
NUMBER OF TIMES I WOKE UP		DURATION OF TIME AWAKE	

WHAT I WAS DOING BEFORE I FEEL ASLEEP	

WHAT WOKE ME UP	O TOILET	O TOO COLD	O BAD DREAM
	O ANXIETY	O UNCOMFORTABLE	O OTHER
WHAT HELPED ME FALL BACK ASLEEP	O EXERCISE	O BOOK	O MUSIC
	O FOOD	O MEDICATION	O OTHER

TIME I WOKE UP		TOTAL SLEEP TIME	

MY SLEEP RATING	O [1] O [2] O [3] O [4] O [5] O [6] O [7] O [8] O [9] O [10]

DID I SLEEP BETTER THAN THE NIGHT BEFORE?	O YES O NO

SLEEP JOURNAL

DATE:		DAY:	O MON	O TUE	O WED	O THU	O FRI	O SAT	O SUN

EVENING ASSESSMENT

QUANTITY OF WATER CONSUMED		TOTAL EXERCISE TIME	
QUANTITY OF CAFFEINE / ALCOHOL		QUANTITY OF NICOTINE	

FOOD CONSUMED AFTER 6 P.M.	NAPS TAKE AND TIMES
	1
	2
	3

MEDICATIONS TAKEN	TIME	DOSAGE	TIMES

ACTIVITIES DONE TODAY	HOW DID I FEEL TODAY

MORNING ASSESSMENT

TIME I WENT TO BED		TIME I FELL ASLEEP	
NUMBER OF TIMES I WOKE UP		DURATION OF TIME AWAKE	

WHAT I WAS DOING BEFORE I FEEL ASLEEP	

WHAT WOKE ME UP	O TOILET	O TOO COLD	O BAD DREAM
	O ANXIETY	O UNCOMFORTABLE	O OTHER

WHAT HELPED ME FALL BACK ASLEEP	O EXERCISE	O BOOK	O MUSIC
	O FOOD	O MEDICATION	O OTHER

TIME I WOKE UP		TOTAL SLEEP TIME	

MY SLEEP RATING	O [1] O [2] O [3] O [4] O [5] O [6] O [7] O [8] O [9] O [10]

DID I SLEEP BETTER THAN THE NIGHT BEFORE?	O YES O NO

SLEEP JOURNAL

DATE:		DAY:	O MON	O TUE	O WED	O THU	O FRI	O SAT	O SUN

EVENING ASSESSMENT

QUANTITY OF WATER CONSUMED		TOTAL EXERCISE TIME	
QUANTITY OF CAFFEINE / ALCOHOL		QUANTITY OF NICOTINE	

FOOD CONSUMED AFTER 6 P.M.	NAPS TAKE AND TIMES
	1
	2
	3

MEDICATIONS TAKEN	TIME	DOSAGE	TIMES

ACTIVITIES DONE TODAY	HOW DID I FEEL TODAY

MORNING ASSESSMENT

TIME I WENT TO BED		TIME I FELL ASLEEP	
NUMBER OF TIMES I WOKE UP		DURATION OF TIME AWAKE	

WHAT I WAS DOING BEFORE I FEEL ASLEEP	

WHAT WOKE ME UP	O TOILET	O TOO COLD	O BAD DREAM
	O ANXIETY	O UNCOMFORTABLE	O OTHER
WHAT HELPED ME FALL BACK ASLEEP	O EXERCISE	O BOOK	O MUSIC
	O FOOD	O MEDICATION	O OTHER

TIME I WOKE UP		TOTAL SLEEP TIME	

MY SLEEP RATING	O [1] O [2] O [3] O [4] O [5] O [6] O [7] O [8] O [9] O [10]

DID I SLEEP BETTER THAN THE NIGHT BEFORE?	O YES O NO

SLEEP JOURNAL

DATE:		DAY:	O MON	O TUE	O WED	O THU	O FRI	O SAT	O SUN

EVENING ASSESSMENT

QUANTITY OF WATER CONSUMED		TOTAL EXERCISE TIME	
QUANTITY OF CAFFEINE / ALCOHOL		QUANTITY OF NICOTINE	

FOOD CONSUMED AFTER 6 P.M.	NAPS TAKE AND TIMES
	1
	2
	3

MEDICATIONS TAKEN	TIME	DOSAGE	TIMES

ACTIVITIES DONE TODAY	HOW DID I FEEL TODAY

MORNING ASSESSMENT

TIME I WENT TO BED		TIME I FELL ASLEEP	
NUMBER OF TIMES I WOKE UP		DURATION OF TIME AWAKE	

WHAT I WAS DOING BEFORE I FEEL ASLEEP			

WHAT WOKE ME UP	O TOILET	O TOO COLD	O BAD DREAM
	O ANXIETY	O UNCOMFORTABLE	O OTHER
WHAT HELPED ME FALL BACK ASLEEP	O EXERCISE	O BOOK	O MUSIC
	O FOOD	O MEDICATION	O OTHER

TIME I WOKE UP		TOTAL SLEEP TIME	

MY SLEEP RATING	O [1] O [2] O [3] O [4] O [5] O [6] O [7] O [8] O [9] O [10]

DID I SLEEP BETTER THAN THE NIGHT BEFORE?	O YES O NO

SLEEP JOURNAL

DATE:		DAY:	O MON	O TUE	O WED	O THU	O FRI	O SAT	O SUN

EVENING ASSESSMENT

QUANTITY OF WATER CONSUMED		TOTAL EXERCISE TIME	
QUANTITY OF CAFFEINE / ALCOHOL		QUANTITY OF NICOTINE	

FOOD CONSUMED AFTER 6 P.M.	NAPS TAKE AND TIMES
	1
	2
	3

MEDICATIONS TAKEN	TIME	DOSAGE	TIMES

ACTIVITIES DONE TODAY	HOW DID I FEEL TODAY

MORNING ASSESSMENT

TIME I WENT TO BED		TIME I FELL ASLEEP	
NUMBER OF TIMES I WOKE UP		DURATION OF TIME AWAKE	

WHAT I WAS DOING BEFORE I FEEL ASLEEP	

WHAT WOKE ME UP	O TOILET	O TOO COLD	O BAD DREAM
	O ANXIETY	O UNCOMFORTABLE	O OTHER
WHAT HELPED ME FALL BACK ASLEEP	O EXERCISE	O BOOK	O MUSIC
	O FOOD	O MEDICATION	O OTHER

TIME I WOKE UP		TOTAL SLEEP TIME	

MY SLEEP RATING	O [1] O [2] O [3] O [4] O [5] O [6] O [7] O [8] O [9] O [10]

DID I SLEEP BETTER THAN THE NIGHT BEFORE?	O YES O NO

SLEEP JOURNAL

DATE:		DAY:	O MON	O TUE	O WED	O THU	O FRI	O SAT	O SUN

EVENING ASSESSMENT

QUANTITY OF WATER CONSUMED		TOTAL EXERCISE TIME	
QUANTITY OF CAFFEINE / ALCOHOL		QUANTITY OF NICOTINE	

FOOD CONSUMED AFTER 6 P.M.	NAPS TAKE AND TIMES
	1
	2
	3

MEDICATIONS TAKEN	TIME	DOSAGE	TIMES

ACTIVITIES DONE TODAY	HOW DID I FEEL TODAY

MORNING ASSESSMENT

TIME I WENT TO BED		TIME I FELL ASLEEP	
NUMBER OF TIMES I WOKE UP		DURATION OF TIME AWAKE	

WHAT I WAS DOING BEFORE I FEEL ASLEEP	

WHAT WOKE ME UP	O TOILET	O TOO COLD	O BAD DREAM
	O ANXIETY	O UNCOMFORTABLE	O OTHER

WHAT HELPED ME FALL BACK ASLEEP	O EXERCISE	O BOOK	O MUSIC
	O FOOD	O MEDICATION	O OTHER

TIME I WOKE UP		TOTAL SLEEP TIME	

MY SLEEP RATING	O [1] O [2] O [3] O [4] O [5] O [6] O [7] O [8] O [9] O [10]

DID I SLEEP BETTER THAN THE NIGHT BEFORE?	O YES O NO

SLEEP JOURNAL

DATE:		DAY:	O MON	O TUE	O WED	O THU	O FRI	O SAT	O SUN

EVENING ASSESSMENT

QUANTITY OF WATER CONSUMED		TOTAL EXERCISE TIME	
QUANTITY OF CAFFEINE / ALCOHOL		QUANTITY OF NICOTINE	

FOOD CONSUMED AFTER 6 P.M.	NAPS TAKE AND TIMES
	1
	2
	3

MEDICATIONS TAKEN	TIME	DOSAGE	TIMES

ACTIVITIES DONE TODAY	HOW DID I FEEL TODAY

MORNING ASSESSMENT

TIME I WENT TO BED		TIME I FELL ASLEEP	
NUMBER OF TIMES I WOKE UP		DURATION OF TIME AWAKE	

WHAT I WAS DOING BEFORE I FEEL ASLEEP	

WHAT WOKE ME UP	O TOILET	O TOO COLD	O BAD DREAM
	O ANXIETY	O UNCOMFORTABLE	O OTHER
WHAT HELPED ME FALL BACK ASLEEP	O EXERCISE	O BOOK	O MUSIC
	O FOOD	O MEDICATION	O OTHER

TIME I WOKE UP		TOTAL SLEEP TIME	

MY SLEEP RATING	O [1] O [2] O [3] O [4] O [5] O [6] O [7] O [8] O [9] O [10]

DID I SLEEP BETTER THAN THE NIGHT BEFORE?	O YES O NO

SLEEP JOURNAL

DATE:		DAY:	O MON	O TUE	O WED	O THU	O FRI	O SAT	O SUN

EVENING ASSESSMENT

QUANTITY OF WATER CONSUMED		TOTAL EXERCISE TIME	
QUANTITY OF CAFFEINE / ALCOHOL		QUANTITY OF NICOTINE	

FOOD CONSUMED AFTER 6 P.M.	NAPS TAKE AND TIMES
	1
	2
	3

MEDICATIONS TAKEN	TIME	DOSAGE	TIMES

ACTIVITIES DONE TODAY	HOW DID I FEEL TODAY

MORNING ASSESSMENT

TIME I WENT TO BED		TIME I FELL ASLEEP	
NUMBER OF TIMES I WOKE UP		DURATION OF TIME AWAKE	

WHAT I WAS DOING BEFORE I FEEL ASLEEP	

WHAT WOKE ME UP	O TOILET	O TOO COLD	O BAD DREAM
	O ANXIETY	O UNCOMFORTABLE	O OTHER
WHAT HELPED ME FALL BACK ASLEEP	O EXERCISE	O BOOK	O MUSIC
	O FOOD	O MEDICATION	O OTHER

TIME I WOKE UP		TOTAL SLEEP TIME	

MY SLEEP RATING	O [1] O [2] O [3] O [4] O [5] O [6] O [7] O [8] O [9] O [10]

DID I SLEEP BETTER THAN THE NIGHT BEFORE?	O YES O NO

SLEEP JOURNAL

DATE:		DAY:	O MON	O TUE	O WED	O THU	O FRI	O SAT	O SUN

EVENING ASSESSMENT

QUANTITY OF WATER CONSUMED		TOTAL EXERCISE TIME	
QUANTITY OF CAFFEINE / ALCOHOL		QUANTITY OF NICOTINE	

FOOD CONSUMED AFTER 6 P.M.	NAPS TAKE AND TIMES
	1
	2
	3

MEDICATIONS TAKEN	TIME	DOSAGE	TIMES

ACTIVITIES DONE TODAY	HOW DID I FEEL TODAY

MORNING ASSESSMENT

TIME I WENT TO BED		TIME I FELL ASLEEP	
NUMBER OF TIMES I WOKE UP		DURATION OF TIME AWAKE	

WHAT I WAS DOING BEFORE I FEEL ASLEEP	

WHAT WOKE ME UP	O TOILET	O TOO COLD	O BAD DREAM
	O ANXIETY	O UNCOMFORTABLE	O OTHER
WHAT HELPED ME FALL BACK ASLEEP	O EXERCISE	O BOOK	O MUSIC
	O FOOD	O MEDICATION	O OTHER

TIME I WOKE UP		TOTAL SLEEP TIME	

MY SLEEP RATING	O [1] O [2] O [3] O [4] O [5] O [6] O [7] O [8] O [9] O [10]

DID I SLEEP BETTER THAN THE NIGHT BEFORE?	O YES O NO

SLEEP JOURNAL

DATE:		DAY:	O MON	O TUE	O WED	O THU	O FRI	O SAT	O SUN

EVENING ASSESSMENT

QUANTITY OF WATER CONSUMED		TOTAL EXERCISE TIME	
QUANTITY OF CAFFEINE / ALCOHOL		QUANTITY OF NICOTINE	

FOOD CONSUMED AFTER 6 P.M.	NAPS TAKE AND TIMES
	1
	2
	3

MEDICATIONS TAKEN	TIME	DOSAGE	TIMES

ACTIVITIES DONE TODAY	HOW DID I FEEL TODAY

MORNING ASSESSMENT

TIME I WENT TO BED		TIME I FELL ASLEEP	
NUMBER OF TIMES I WOKE UP		DURATION OF TIME AWAKE	

WHAT I WAS DOING BEFORE I FEEL ASLEEP	

WHAT WOKE ME UP	O TOILET	O TOO COLD	O BAD DREAM
	O ANXIETY	O UNCOMFORTABLE	O OTHER

WHAT HELPED ME FALL BACK ASLEEP	O EXERCISE	O BOOK	O MUSIC
	O FOOD	O MEDICATION	O OTHER

TIME I WOKE UP		TOTAL SLEEP TIME	

MY SLEEP RATING	O [1] O [2] O [3] O [4] O [5] O [6] O [7] O [8] O [9] O [10]

DID I SLEEP BETTER THAN THE NIGHT BEFORE?	O YES O NO

SLEEP JOURNAL

DATE:		DAY:	O MON	O TUE	O WED	O THU	O FRI	O SAT	O SUN

EVENING ASSESSMENT

QUANTITY OF WATER CONSUMED		TOTAL EXERCISE TIME	
QUANTITY OF CAFFEINE / ALCOHOL		QUANTITY OF NICOTINE	

FOOD CONSUMED AFTER 6 P.M.	NAPS TAKE AND TIMES	
	1	
	2	
	3	

MEDICATIONS TAKEN	TIME	DOSAGE	TIMES

ACTIVITIES DONE TODAY	HOW DID I FEEL TODAY

MORNING ASSESSMENT

TIME I WENT TO BED		TIME I FELL ASLEEP	
NUMBER OF TIMES I WOKE UP		DURATION OF TIME AWAKE	

WHAT I WAS DOING BEFORE I FEEL ASLEEP	

WHAT WOKE ME UP	O TOILET	O TOO COLD	O BAD DREAM
	O ANXIETY	O UNCOMFORTABLE	O OTHER
WHAT HELPED ME FALL BACK ASLEEP	O EXERCISE	O BOOK	O MUSIC
	O FOOD	O MEDICATION	O OTHER

TIME I WOKE UP		TOTAL SLEEP TIME	

MY SLEEP RATING	O [1] O [2] O [3] O [4] O [5] O [6] O [7] O [8] O [9] O [10]

DID I SLEEP BETTER THAN THE NIGHT BEFORE?	O YES O NO

SLEEP JOURNAL

DATE:		DAY:	O MON	O TUE	O WED	O THU	O FRI	O SAT	O SUN

EVENING ASSESSMENT

QUANTITY OF WATER CONSUMED		TOTAL EXERCISE TIME	
QUANTITY OF CAFFEINE / ALCOHOL		QUANTITY OF NICOTINE	

FOOD CONSUMED AFTER 6 P.M.	NAPS TAKE AND TIMES
	1
	2
	3

MEDICATIONS TAKEN	TIME	DOSAGE	TIMES

ACTIVITIES DONE TODAY	HOW DID I FEEL TODAY

MORNING ASSESSMENT

TIME I WENT TO BED		TIME I FELL ASLEEP	
NUMBER OF TIMES I WOKE UP		DURATION OF TIME AWAKE	

WHAT I WAS DOING BEFORE I FEEL ASLEEP	

WHAT WOKE ME UP	O TOILET	O TOO COLD	O BAD DREAM
	O ANXIETY	O UNCOMFORTABLE	O OTHER
WHAT HELPED ME FALL BACK ASLEEP	O EXERCISE	O BOOK	O MUSIC
	O FOOD	O MEDICATION	O OTHER

TIME I WOKE UP		TOTAL SLEEP TIME	

MY SLEEP RATING	O [1] O [2] O [3] O [4] O [5] O [6] O [7] O [8] O [9] O [10]

DID I SLEEP BETTER THAN THE NIGHT BEFORE?	O YES O NO

SLEEP JOURNAL

DATE:		DAY:	O MON	O TUE	O WED	O THU	O FRI	O SAT	O SUN

EVENING ASSESSMENT

QUANTITY OF WATER CONSUMED		TOTAL EXERCISE TIME	
QUANTITY OF CAFFEINE / ALCOHOL		QUANTITY OF NICOTINE	

FOOD CONSUMED AFTER 6 P.M.	NAPS TAKE AND TIMES
	1
	2
	3

MEDICATIONS TAKEN	TIME	DOSAGE	TIMES

ACTIVITIES DONE TODAY	HOW DID I FEEL TODAY

MORNING ASSESSMENT

TIME I WENT TO BED		TIME I FELL ASLEEP	
NUMBER OF TIMES I WOKE UP		DURATION OF TIME AWAKE	

WHAT I WAS DOING BEFORE I FEEL ASLEEP	

WHAT WOKE ME UP	O TOILET	O TOO COLD	O BAD DREAM
	O ANXIETY	O UNCOMFORTABLE	O OTHER
WHAT HELPED ME FALL BACK ASLEEP	O EXERCISE	O BOOK	O MUSIC
	O FOOD	O MEDICATION	O OTHER

TIME I WOKE UP		TOTAL SLEEP TIME	

MY SLEEP RATING	O [1] O [2] O [3] O [4] O [5] O [6] O [7] O [8] O [9] O [10]

DID I SLEEP BETTER THAN THE NIGHT BEFORE?	O YES O NO

SLEEP JOURNAL

DATE:		DAY:	O MON	O TUE	O WED	O THU	O FRI	O SAT	O SUN

EVENING ASSESSMENT

QUANTITY OF WATER CONSUMED		TOTAL EXERCISE TIME	
QUANTITY OF CAFFEINE / ALCOHOL		QUANTITY OF NICOTINE	

FOOD CONSUMED AFTER 6 P.M.	NAPS TAKE AND TIMES
	1
	2
	3

MEDICATIONS TAKEN	TIME	DOSAGE	TIMES

ACTIVITIES DONE TODAY	HOW DID I FEEL TODAY

MORNING ASSESSMENT

TIME I WENT TO BED		TIME I FELL ASLEEP	
NUMBER OF TIMES I WOKE UP		DURATION OF TIME AWAKE	

WHAT I WAS DOING BEFORE I FEEL ASLEEP	

WHAT WOKE ME UP	O TOILET	O TOO COLD	O BAD DREAM
	O ANXIETY	O UNCOMFORTABLE	O OTHER
WHAT HELPED ME FALL BACK ASLEEP	O EXERCISE	O BOOK	O MUSIC
	O FOOD	O MEDICATION	O OTHER

TIME I WOKE UP		TOTAL SLEEP TIME	

MY SLEEP RATING	O [1] O [2] O [3] O [4] O [5] O [6] O [7] O [8] O [9] O [10]

DID I SLEEP BETTER THAN THE NIGHT BEFORE?	O YES O NO

SLEEP JOURNAL

DATE:		DAY:	O MON	O TUE	O WED	O THU	O FRI	O SAT	O SUN

EVENING ASSESSMENT

QUANTITY OF WATER CONSUMED		TOTAL EXERCISE TIME	
QUANTITY OF CAFFEINE / ALCOHOL		QUANTITY OF NICOTINE	

FOOD CONSUMED AFTER 6 P.M.	NAPS TAKE AND TIMES
	1
	2
	3

MEDICATIONS TAKEN	TIME	DOSAGE	TIMES

ACTIVITIES DONE TODAY	HOW DID I FEEL TODAY

MORNING ASSESSMENT

TIME I WENT TO BED		TIME I FELL ASLEEP	
NUMBER OF TIMES I WOKE UP		DURATION OF TIME AWAKE	

WHAT I WAS DOING BEFORE I FEEL ASLEEP	

WHAT WOKE ME UP	O TOILET	O TOO COLD	O BAD DREAM
	O ANXIETY	O UNCOMFORTABLE	O OTHER
WHAT HELPED ME FALL BACK ASLEEP	O EXERCISE	O BOOK	O MUSIC
	O FOOD	O MEDICATION	O OTHER

TIME I WOKE UP		TOTAL SLEEP TIME	

MY SLEEP RATING	O [1] O [2] O [3] O [4] O [5] O [6] O [7] O [8] O [9] O [10]

DID I SLEEP BETTER THAN THE NIGHT BEFORE?	O YES O NO

SLEEP JOURNAL

DATE:		DAY:	O MON	O TUE	O WED	O THU	O FRI	O SAT	O SUN

EVENING ASSESSMENT

QUANTITY OF WATER CONSUMED		TOTAL EXERCISE TIME	
QUANTITY OF CAFFEINE / ALCOHOL		QUANTITY OF NICOTINE	

FOOD CONSUMED AFTER 6 P.M.	NAPS TAKE AND TIMES
	1
	2
	3

MEDICATIONS TAKEN	TIME	DOSAGE	TIMES

ACTIVITIES DONE TODAY	HOW DID I FEEL TODAY

MORNING ASSESSMENT

TIME I WENT TO BED		TIME I FELL ASLEEP	
NUMBER OF TIMES I WOKE UP		DURATION OF TIME AWAKE	

WHAT I WAS DOING BEFORE I FEEL ASLEEP	

WHAT WOKE ME UP	O TOILET	O TOO COLD	O BAD DREAM
	O ANXIETY	O UNCOMFORTABLE	O OTHER
WHAT HELPED ME FALL BACK ASLEEP	O EXERCISE	O BOOK	O MUSIC
	O FOOD	O MEDICATION	O OTHER

TIME I WOKE UP		TOTAL SLEEP TIME	

MY SLEEP RATING	O [1] O [2] O [3] O [4] O [5] O [6] O [7] O [8] O [9] O [10]

DID I SLEEP BETTER THAN THE NIGHT BEFORE?	O YES O NO

SLEEP JOURNAL

DATE:		DAY:	O MON	O TUE	O WED	O THU	O FRI	O SAT	O SUN

EVENING ASSESSMENT

QUANTITY OF WATER CONSUMED		TOTAL EXERCISE TIME	
QUANTITY OF CAFFEINE / ALCOHOL		QUANTITY OF NICOTINE	

FOOD CONSUMED AFTER 6 P.M.	NAPS TAKE AND TIMES
	1
	2
	3

MEDICATIONS TAKEN	TIME	DOSAGE	TIMES

ACTIVITIES DONE TODAY	HOW DID I FEEL TODAY

MORNING ASSESSMENT

TIME I WENT TO BED		TIME I FELL ASLEEP	
NUMBER OF TIMES I WOKE UP		DURATION OF TIME AWAKE	

WHAT I WAS DOING BEFORE I FEEL ASLEEP	

WHAT WOKE ME UP	O TOILET	O TOO COLD	O BAD DREAM
	O ANXIETY	O UNCOMFORTABLE	O OTHER
WHAT HELPED ME FALL BACK ASLEEP	O EXERCISE	O BOOK	O MUSIC
	O FOOD	O MEDICATION	O OTHER

TIME I WOKE UP		TOTAL SLEEP TIME	

MY SLEEP RATING	O [1] O [2] O [3] O [4] O [5] O [6] O [7] O [8] O [9] O [10]

DID I SLEEP BETTER THAN THE NIGHT BEFORE?	O YES O NO

SLEEP JOURNAL

DATE:		DAY:	O MON	O TUE	O WED	O THU	O FRI	O SAT	O SUN

EVENING ASSESSMENT

QUANTITY OF WATER CONSUMED		TOTAL EXERCISE TIME	
QUANTITY OF CAFFEINE / ALCOHOL		QUANTITY OF NICOTINE	

FOOD CONSUMED AFTER 6 P.M.	NAPS TAKE AND TIMES
	1
	2
	3

MEDICATIONS TAKEN	TIME	DOSAGE	TIMES

ACTIVITIES DONE TODAY	HOW DID I FEEL TODAY

MORNING ASSESSMENT

TIME I WENT TO BED		TIME I FELL ASLEEP	
NUMBER OF TIMES I WOKE UP		DURATION OF TIME AWAKE	

WHAT I WAS DOING BEFORE I FEEL ASLEEP	

WHAT WOKE ME UP	O TOILET	O TOO COLD	O BAD DREAM
	O ANXIETY	O UNCOMFORTABLE	O OTHER
WHAT HELPED ME FALL BACK ASLEEP	O EXERCISE	O BOOK	O MUSIC
	O FOOD	O MEDICATION	O OTHER

TIME I WOKE UP		TOTAL SLEEP TIME	

MY SLEEP RATING	O [1] O [2] O [3] O [4] O [5] O [6] O [7] O [8] O [9] O [10]

DID I SLEEP BETTER THAN THE NIGHT BEFORE?	O YES O NO

SLEEP JOURNAL

DATE:		DAY:	O MON	O TUE	O WED	O THU	O FRI	O SAT	O SUN

EVENING ASSESSMENT

QUANTITY OF WATER CONSUMED		TOTAL EXERCISE TIME	
QUANTITY OF CAFFEINE / ALCOHOL		QUANTITY OF NICOTINE	

FOOD CONSUMED AFTER 6 P.M.	NAPS TAKE AND TIMES
	1
	2
	3

MEDICATIONS TAKEN	TIME	DOSAGE	TIMES

ACTIVITIES DONE TODAY	HOW DID I FEEL TODAY

MORNING ASSESSMENT

TIME I WENT TO BED		TIME I FELL ASLEEP	
NUMBER OF TIMES I WOKE UP		DURATION OF TIME AWAKE	

WHAT I WAS DOING BEFORE I FEEL ASLEEP	

WHAT WOKE ME UP	O TOILET	O TOO COLD	O BAD DREAM
	O ANXIETY	O UNCOMFORTABLE	O OTHER
WHAT HELPED ME FALL BACK ASLEEP	O EXERCISE	O BOOK	O MUSIC
	O FOOD	O MEDICATION	O OTHER

TIME I WOKE UP		TOTAL SLEEP TIME	

MY SLEEP RATING	O [1] O [2] O [3] O [4] O [5] O [6] O [7] O [8] O [9] O [10]

DID I SLEEP BETTER THAN THE NIGHT BEFORE?	O YES O NO

SLEEP JOURNAL

DATE:		DAY:	O MON	O TUE	O WED	O THU	O FRI	O SAT	O SUN

EVENING ASSESSMENT

QUANTITY OF WATER CONSUMED		TOTAL EXERCISE TIME	
QUANTITY OF CAFFEINE / ALCOHOL		QUANTITY OF NICOTINE	

FOOD CONSUMED AFTER 6 P.M.	NAPS TAKE AND TIMES
	1
	2
	3

MEDICATIONS TAKEN	TIME	DOSAGE	TIMES

ACTIVITIES DONE TODAY	HOW DID I FEEL TODAY

MORNING ASSESSMENT

TIME I WENT TO BED		TIME I FELL ASLEEP	
NUMBER OF TIMES I WOKE UP		DURATION OF TIME AWAKE	

WHAT I WAS DOING BEFORE I FEEL ASLEEP	

WHAT WOKE ME UP	O TOILET	O TOO COLD	O BAD DREAM
	O ANXIETY	O UNCOMFORTABLE	O OTHER
WHAT HELPED ME FALL BACK ASLEEP	O EXERCISE	O BOOK	O MUSIC
	O FOOD	O MEDICATION	O OTHER

TIME I WOKE UP		TOTAL SLEEP TIME	

MY SLEEP RATING	O [1] O [2] O [3] O [4] O [5] O [6] O [7] O [8] O [9] O [10]

DID I SLEEP BETTER THAN THE NIGHT BEFORE?	O YES O NO

SLEEP JOURNAL

DATE:		DAY:	O MON	O TUE	O WED	O THU	O FRI	O SAT	O SUN

EVENING ASSESSMENT

QUANTITY OF WATER CONSUMED		TOTAL EXERCISE TIME	
QUANTITY OF CAFFEINE / ALCOHOL		QUANTITY OF NICOTINE	

FOOD CONSUMED AFTER 6 P.M.	NAPS TAKE AND TIMES
	1
	2
	3

MEDICATIONS TAKEN	TIME	DOSAGE	TIMES

ACTIVITIES DONE TODAY	HOW DID I FEEL TODAY

MORNING ASSESSMENT

TIME I WENT TO BED		TIME I FELL ASLEEP	
NUMBER OF TIMES I WOKE UP		DURATION OF TIME AWAKE	

WHAT I WAS DOING BEFORE I FEEL ASLEEP	

WHAT WOKE ME UP	O TOILET	O TOO COLD	O BAD DREAM
	O ANXIETY	O UNCOMFORTABLE	O OTHER
WHAT HELPED ME FALL BACK ASLEEP	O EXERCISE	O BOOK	O MUSIC
	O FOOD	O MEDICATION	O OTHER

TIME I WOKE UP		TOTAL SLEEP TIME	

MY SLEEP RATING	O [1] O [2] O [3] O [4] O [5] O [6] O [7] O [8] O [9] O [10]

DID I SLEEP BETTER THAN THE NIGHT BEFORE?	O YES O NO

SLEEP JOURNAL

DATE:		DAY:	O MON	O TUE	O WED	O THU	O FRI	O SAT	O SUN

EVENING ASSESSMENT

QUANTITY OF WATER CONSUMED		TOTAL EXERCISE TIME	
QUANTITY OF CAFFEINE / ALCOHOL		QUANTITY OF NICOTINE	

FOOD CONSUMED AFTER 6 P.M.	NAPS TAKE AND TIMES
	1
	2
	3

MEDICATIONS TAKEN	TIME	DOSAGE	TIMES

ACTIVITIES DONE TODAY	HOW DID I FEEL TODAY

MORNING ASSESSMENT

TIME I WENT TO BED		TIME I FELL ASLEEP	
NUMBER OF TIMES I WOKE UP		DURATION OF TIME AWAKE	

WHAT I WAS DOING BEFORE I FEEL ASLEEP	

WHAT WOKE ME UP	O TOILET	O TOO COLD	O BAD DREAM
	O ANXIETY	O UNCOMFORTABLE	O OTHER
WHAT HELPED ME FALL BACK ASLEEP	O EXERCISE	O BOOK	O MUSIC
	O FOOD	O MEDICATION	O OTHER

TIME I WOKE UP		TOTAL SLEEP TIME	

MY SLEEP RATING	O [1] O [2] O [3] O [4] O [5] O [6] O [7] O [8] O [9] O [10]

DID I SLEEP BETTER THAN THE NIGHT BEFORE?	O YES O NO

SLEEP JOURNAL

DATE:		DAY:	O MON	O TUE	O WED	O THU	O FRI	O SAT	O SUN

EVENING ASSESSMENT

QUANTITY OF WATER CONSUMED		TOTAL EXERCISE TIME	
QUANTITY OF CAFFEINE / ALCOHOL		QUANTITY OF NICOTINE	

FOOD CONSUMED AFTER 6 P.M.	NAPS TAKE AND TIMES
	1
	2
	3

MEDICATIONS TAKEN	TIME	DOSAGE	TIMES

ACTIVITIES DONE TODAY	HOW DID I FEEL TODAY

MORNING ASSESSMENT

TIME I WENT TO BED		TIME I FELL ASLEEP	
NUMBER OF TIMES I WOKE UP		DURATION OF TIME AWAKE	

WHAT I WAS DOING BEFORE I FEEL ASLEEP	

WHAT WOKE ME UP	O TOILET	O TOO COLD	O BAD DREAM
	O ANXIETY	O UNCOMFORTABLE	O OTHER
WHAT HELPED ME FALL BACK ASLEEP	O EXERCISE	O BOOK	O MUSIC
	O FOOD	O MEDICATION	O OTHER

TIME I WOKE UP		TOTAL SLEEP TIME	

MY SLEEP RATING	O [1] O [2] O [3] O [4] O [5] O [6] O [7] O [8] O [9] O [10]

DID I SLEEP BETTER THAN THE NIGHT BEFORE?	O YES O NO

SLEEP JOURNAL

DATE:		DAY:	O MON	O TUE	O WED	O THU	O FRI	O SAT	O SUN

EVENING ASSESSMENT

QUANTITY OF WATER CONSUMED		TOTAL EXERCISE TIME	
QUANTITY OF CAFFEINE / ALCOHOL		QUANTITY OF NICOTINE	

FOOD CONSUMED AFTER 6 P.M.	NAPS TAKE AND TIMES
	1
	2
	3

MEDICATIONS TAKEN	TIME	DOSAGE	TIMES

ACTIVITIES DONE TODAY	HOW DID I FEEL TODAY

MORNING ASSESSMENT

TIME I WENT TO BED		TIME I FELL ASLEEP	
NUMBER OF TIMES I WOKE UP		DURATION OF TIME AWAKE	

WHAT I WAS DOING BEFORE I FEEL ASLEEP	

WHAT WOKE ME UP	O TOILET	O TOO COLD	O BAD DREAM
	O ANXIETY	O UNCOMFORTABLE	O OTHER
WHAT HELPED ME FALL BACK ASLEEP	O EXERCISE	O BOOK	O MUSIC
	O FOOD	O MEDICATION	O OTHER

TIME I WOKE UP		TOTAL SLEEP TIME	

MY SLEEP RATING	O [1] O [2] O [3] O [4] O [5] O [6] O [7] O [8] O [9] O [10]

DID I SLEEP BETTER THAN THE NIGHT BEFORE?	O YES O NO

SLEEP JOURNAL

DATE:		DAY:	O MON	O TUE	O WED	O THU	O FRI	O SAT	O SUN

EVENING ASSESSMENT

QUANTITY OF WATER CONSUMED		TOTAL EXERCISE TIME	
QUANTITY OF CAFFEINE / ALCOHOL		QUANTITY OF NICOTINE	

FOOD CONSUMED AFTER 6 P.M.	NAPS TAKE AND TIMES	
	1	
	2	
	3	

MEDICATIONS TAKEN	TIME	DOSAGE	TIMES

ACTIVITIES DONE TODAY	HOW DID I FEEL TODAY

MORNING ASSESSMENT

TIME I WENT TO BED		TIME I FELL ASLEEP	
NUMBER OF TIMES I WOKE UP		DURATION OF TIME AWAKE	

WHAT I WAS DOING BEFORE I FEEL ASLEEP	

WHAT WOKE ME UP	O TOILET	O TOO COLD	O BAD DREAM
	O ANXIETY	O UNCOMFORTABLE	O OTHER
WHAT HELPED ME FALL BACK ASLEEP	O EXERCISE	O BOOK	O MUSIC
	O FOOD	O MEDICATION	O OTHER

TIME I WOKE UP		TOTAL SLEEP TIME	

MY SLEEP RATING	O [1] O [2] O [3] O [4] O [5] O [6] O [7] O [8] O [9] O [10]

DID I SLEEP BETTER THAN THE NIGHT BEFORE?	O YES O NO

SLEEP JOURNAL

DATE:		DAY:	O MON	O TUE	O WED	O THU	O FRI	O SAT	O SUN

EVENING ASSESSMENT

QUANTITY OF WATER CONSUMED		TOTAL EXERCISE TIME	
QUANTITY OF CAFFEINE / ALCOHOL		QUANTITY OF NICOTINE	

FOOD CONSUMED AFTER 6 P.M.	NAPS TAKE AND TIMES	
		1
		2
		3

MEDICATIONS TAKEN	TIME	DOSAGE	TIMES

ACTIVITIES DONE TODAY	HOW DID I FEEL TODAY

MORNING ASSESSMENT

TIME I WENT TO BED		TIME I FELL ASLEEP	
NUMBER OF TIMES I WOKE UP		DURATION OF TIME AWAKE	

WHAT I WAS DOING BEFORE I FEEL ASLEEP	

WHAT WOKE ME UP	O TOILET	O TOO COLD	O BAD DREAM
	O ANXIETY	O UNCOMFORTABLE	O OTHER
WHAT HELPED ME FALL BACK ASLEEP	O EXERCISE	O BOOK	O MUSIC
	O FOOD	O MEDICATION	O OTHER

TIME I WOKE UP		TOTAL SLEEP TIME	

MY SLEEP RATING	O [1] O [2] O [3] O [4] O [5] O [6] O [7] O [8] O [9] O [10]

DID I SLEEP BETTER THAN THE NIGHT BEFORE?	O YES O NO

SLEEP JOURNAL

DATE:		DAY:	O MON	O TUE	O WED	O THU	O FRI	O SAT	O SUN

EVENING ASSESSMENT

QUANTITY OF WATER CONSUMED		TOTAL EXERCISE TIME	
QUANTITY OF CAFFEINE / ALCOHOL		QUANTITY OF NICOTINE	

FOOD CONSUMED AFTER 6 P.M.	NAPS TAKE AND TIMES
	1
	2
	3

MEDICATIONS TAKEN	TIME	DOSAGE	TIMES

ACTIVITIES DONE TODAY	HOW DID I FEEL TODAY

MORNING ASSESSMENT

TIME I WENT TO BED		TIME I FELL ASLEEP	
NUMBER OF TIMES I WOKE UP		DURATION OF TIME AWAKE	

WHAT I WAS DOING BEFORE I FEEL ASLEEP	

WHAT WOKE ME UP	O TOILET	O TOO COLD	O BAD DREAM
	O ANXIETY	O UNCOMFORTABLE	O OTHER
WHAT HELPED ME FALL BACK ASLEEP	O EXERCISE	O BOOK	O MUSIC
	O FOOD	O MEDICATION	O OTHER

TIME I WOKE UP		TOTAL SLEEP TIME	

MY SLEEP RATING	O [1] O [2] O [3] O [4] O [5] O [6] O [7] O [8] O [9] O [10]

DID I SLEEP BETTER THAN THE NIGHT BEFORE?	O YES O NO

SLEEP JOURNAL

DATE:		DAY:	O MON	O TUE	O WED	O THU	O FRI	O SAT	O SUN

EVENING ASSESSMENT

QUANTITY OF WATER CONSUMED		TOTAL EXERCISE TIME	
QUANTITY OF CAFFEINE / ALCOHOL		QUANTITY OF NICOTINE	

FOOD CONSUMED AFTER 6 P.M.	NAPS TAKE AND TIMES
	1
	2
	3

MEDICATIONS TAKEN	TIME	DOSAGE	TIMES

ACTIVITIES DONE TODAY	HOW DID I FEEL TODAY

MORNING ASSESSMENT

TIME I WENT TO BED		TIME I FELL ASLEEP	
NUMBER OF TIMES I WOKE UP		DURATION OF TIME AWAKE	

WHAT I WAS DOING BEFORE I FEEL ASLEEP	

WHAT WOKE ME UP	O TOILET	O TOO COLD	O BAD DREAM
	O ANXIETY	O UNCOMFORTABLE	O OTHER
WHAT HELPED ME FALL BACK ASLEEP	O EXERCISE	O BOOK	O MUSIC
	O FOOD	O MEDICATION	O OTHER

TIME I WOKE UP		TOTAL SLEEP TIME	

MY SLEEP RATING	O [1] O [2] O [3] O [4] O [5] O [6] O [7] O [8] O [9] O [10]

DID I SLEEP BETTER THAN THE NIGHT BEFORE?	O YES O NO

SLEEP JOURNAL

DATE:		DAY:	O MON	O TUE	O WED	O THU	O FRI	O SAT	O SUN

EVENING ASSESSMENT

QUANTITY OF WATER CONSUMED		TOTAL EXERCISE TIME	
QUANTITY OF CAFFEINE / ALCOHOL		QUANTITY OF NICOTINE	

FOOD CONSUMED AFTER 6 P.M.	NAPS TAKE AND TIMES
	1
	2
	3

MEDICATIONS TAKEN	TIME	DOSAGE	TIMES

ACTIVITIES DONE TODAY	HOW DID I FEEL TODAY

MORNING ASSESSMENT

TIME I WENT TO BED		TIME I FELL ASLEEP	
NUMBER OF TIMES I WOKE UP		DURATION OF TIME AWAKE	

WHAT I WAS DOING BEFORE I FEEL ASLEEP	

WHAT WOKE ME UP	O TOILET	O TOO COLD	O BAD DREAM
	O ANXIETY	O UNCOMFORTABLE	O OTHER
WHAT HELPED ME FALL BACK ASLEEP	O EXERCISE	O BOOK	O MUSIC
	O FOOD	O MEDICATION	O OTHER

TIME I WOKE UP		TOTAL SLEEP TIME	

MY SLEEP RATING	O [1] O [2] O [3] O [4] O [5] O [6] O [7] O [8] O [9] O [10]

DID I SLEEP BETTER THAN THE NIGHT BEFORE?	O YES O NO

SLEEP JOURNAL

DATE:		DAY:	O MON	O TUE	O WED	O THU	O FRI	O SAT	O SUN

EVENING ASSESSMENT

QUANTITY OF WATER CONSUMED		TOTAL EXERCISE TIME	
QUANTITY OF CAFFEINE / ALCOHOL		QUANTITY OF NICOTINE	

FOOD CONSUMED AFTER 6 P.M.	NAPS TAKE AND TIMES
	1
	2
	3

MEDICATIONS TAKEN	TIME	DOSAGE	TIMES

ACTIVITIES DONE TODAY	HOW DID I FEEL TODAY

MORNING ASSESSMENT

TIME I WENT TO BED		TIME I FELL ASLEEP	
NUMBER OF TIMES I WOKE UP		DURATION OF TIME AWAKE	

WHAT I WAS DOING BEFORE I FEEL ASLEEP			
WHAT WOKE ME UP	O TOILET	O TOO COLD	O BAD DREAM
	O ANXIETY	O UNCOMFORTABLE	O OTHER
WHAT HELPED ME FALL BACK ASLEEP	O EXERCISE	O BOOK	O MUSIC
	O FOOD	O MEDICATION	O OTHER

IME I WOKE UP		TOTAL SLEEP TIME	

MY SLEEP RATING	O [1] O [2] O [3] O [4] O [5] O [6] O [7] O [8] O [9] O [10]

DID I SLEEP BETTER THAN THE NIGHT BEFORE?	O YES O NO

SLEEP JOURNAL

DATE:		DAY:	O MON	O TUE	O WED	O THU	O FRI	O SAT	O SUN

EVENING ASSESSMENT

QUANTITY OF WATER CONSUMED		TOTAL EXERCISE TIME	
QUANTITY OF CAFFEINE / ALCOHOL		QUANTITY OF NICOTINE	

FOOD CONSUMED AFTER 6 P.M.	NAPS TAKE AND TIMES	
	1	
	2	
	3	

MEDICATIONS TAKEN	TIME	DOSAGE	TIMES

ACTIVITIES DONE TODAY	HOW DID I FEEL TODAY

MORNING ASSESSMENT

TIME I WENT TO BED		TIME I FELL ASLEEP	
NUMBER OF TIMES I WOKE UP		DURATION OF TIME AWAKE	

WHAT I WAS DOING BEFORE I FEEL ASLEEP	

WHAT WOKE ME UP	O TOILET	O TOO COLD	O BAD DREAM
	O ANXIETY	O UNCOMFORTABLE	O OTHER
WHAT HELPED ME FALL BACK ASLEEP	O EXERCISE	O BOOK	O MUSIC
	O FOOD	O MEDICATION	O OTHER

TIME I WOKE UP		TOTAL SLEEP TIME	

MY SLEEP RATING	O [1] O [2] O [3] O [4] O [5] O [6] O [7] O [8] O [9] O [10]

DID I SLEEP BETTER THAN THE NIGHT BEFORE?	O YES O NO

SLEEP JOURNAL

DATE:		DAY:	O MON	O TUE	O WED	O THU	O FRI	O SAT	O SUN

EVENING ASSESSMENT

QUANTITY OF WATER CONSUMED		TOTAL EXERCISE TIME	
QUANTITY OF CAFFEINE / ALCOHOL		QUANTITY OF NICOTINE	

FOOD CONSUMED AFTER 6 P.M.	NAPS TAKE AND TIMES	
		1
		2
		3

MEDICATIONS TAKEN	TIME	DOSAGE	TIMES

ACTIVITIES DONE TODAY	HOW DID I FEEL TODAY

MORNING ASSESSMENT

TIME I WENT TO BED		TIME I FELL ASLEEP	
NUMBER OF TIMES I WOKE UP		DURATION OF TIME AWAKE	

WHAT I WAS DOING BEFORE I FEEL ASLEEP	

WHAT WOKE ME UP	O TOILET	O TOO COLD	O BAD DREAM
	O ANXIETY	O UNCOMFORTABLE	O OTHER
WHAT HELPED ME FALL BACK ASLEEP	O EXERCISE	O BOOK	O MUSIC
	O FOOD	O MEDICATION	O OTHER

TIME I WOKE UP		TOTAL SLEEP TIME	

MY SLEEP RATING	O [1] O [2] O [3] O [4] O [5] O [6] O [7] O [8] O [9] O [10]

DID I SLEEP BETTER THAN THE NIGHT BEFORE?	O YES O NO

SLEEP JOURNAL

DATE:		DAY:	O MON	O TUE	O WED	O THU	O FRI	O SAT	O SUN

EVENING ASSESSMENT

QUANTITY OF WATER CONSUMED		TOTAL EXERCISE TIME	
QUANTITY OF CAFFEINE / ALCOHOL		QUANTITY OF NICOTINE	

FOOD CONSUMED AFTER 6 P.M.	NAPS TAKE AND TIMES
	1
	2
	3

MEDICATIONS TAKEN	TIME	DOSAGE	TIMES

ACTIVITIES DONE TODAY	HOW DID I FEEL TODAY

MORNING ASSESSMENT

TIME I WENT TO BED		TIME I FELL ASLEEP	
NUMBER OF TIMES I WOKE UP		DURATION OF TIME AWAKE	

WHAT I WAS DOING BEFORE I FEEL ASLEEP	

WHAT WOKE ME UP	O TOILET	O TOO COLD	O BAD DREAM
	O ANXIETY	O UNCOMFORTABLE	O OTHER
WHAT HELPED ME FALL BACK ASLEEP	O EXERCISE	O BOOK	O MUSIC
	O FOOD	O MEDICATION	O OTHER

TIME I WOKE UP		TOTAL SLEEP TIME	

MY SLEEP RATING	O [1] O [2] O [3] O [4] O [5] O [6] O [7] O [8] O [9] O [10]

DID I SLEEP BETTER THAN THE NIGHT BEFORE?	O YES O NO

SLEEP JOURNAL

DATE:		DAY:	O MON	O TUE	O WED	O THU	O FRI	O SAT	O SUN

EVENING ASSESSMENT

QUANTITY OF WATER CONSUMED		TOTAL EXERCISE TIME	
QUANTITY OF CAFFEINE / ALCOHOL		QUANTITY OF NICOTINE	

FOOD CONSUMED AFTER 6 P.M.	NAPS TAKE AND TIMES
	1
	2
	3

MEDICATIONS TAKEN	TIME	DOSAGE	TIMES

ACTIVITIES DONE TODAY	HOW DID I FEEL TODAY

MORNING ASSESSMENT

TIME I WENT TO BED		TIME I FELL ASLEEP	
NUMBER OF TIMES I WOKE UP		DURATION OF TIME AWAKE	

WHAT I WAS DOING BEFORE I FEEL ASLEEP	

WHAT WOKE ME UP	O TOILET	O TOO COLD	O BAD DREAM
	O ANXIETY	O UNCOMFORTABLE	O OTHER
WHAT HELPED ME FALL BACK ASLEEP	O EXERCISE	O BOOK	O MUSIC
	O FOOD	O MEDICATION	O OTHER

TIME I WOKE UP		TOTAL SLEEP TIME	

MY SLEEP RATING	O [1] O [2] O [3] O [4] O [5] O [6] O [7] O [8] O [9] O [10]

DID I SLEEP BETTER THAN THE NIGHT BEFORE?	O YES O NO

SLEEP JOURNAL

DATE:		DAY:	O MON	O TUE	O WED	O THU	O FRI	O SAT	O SUN

EVENING ASSESSMENT

QUANTITY OF WATER CONSUMED		TOTAL EXERCISE TIME	
QUANTITY OF CAFFEINE / ALCOHOL		QUANTITY OF NICOTINE	

FOOD CONSUMED AFTER 6 P.M.	NAPS TAKE AND TIMES
	1
	2
	3

MEDICATIONS TAKEN	TIME	DOSAGE	TIMES

ACTIVITIES DONE TODAY	HOW DID I FEEL TODAY

MORNING ASSESSMENT

TIME I WENT TO BED		TIME I FELL ASLEEP	
NUMBER OF TIMES I WOKE UP		DURATION OF TIME AWAKE	

WHAT I WAS DOING BEFORE I FEEL ASLEEP	

WHAT WOKE ME UP	O TOILET	O TOO COLD	O BAD DREAM
	O ANXIETY	O UNCOMFORTABLE	O OTHER
WHAT HELPED ME FALL BACK ASLEEP	O EXERCISE	O BOOK	O MUSIC
	O FOOD	O MEDICATION	O OTHER

TIME I WOKE UP		TOTAL SLEEP TIME	

MY SLEEP RATING	O [1] O [2] O [3] O [4] O [5] O [6] O [7] O [8] O [9] O [10]

DID I SLEEP BETTER THAN THE NIGHT BEFORE?	O YES O NO

SLEEP JOURNAL

DATE:		DAY:	O MON	O TUE	O WED	O THU	O FRI	O SAT	O SUN

EVENING ASSESSMENT

QUANTITY OF WATER CONSUMED		TOTAL EXERCISE TIME	
QUANTITY OF CAFFEINE / ALCOHOL		QUANTITY OF NICOTINE	

FOOD CONSUMED AFTER 6 P.M.	NAPS TAKE AND TIMES
	1
	2
	3

MEDICATIONS TAKEN	TIME	DOSAGE	TIMES

ACTIVITIES DONE TODAY	HOW DID I FEEL TODAY

MORNING ASSESSMENT

TIME I WENT TO BED		TIME I FELL ASLEEP	
NUMBER OF TIMES I WOKE UP		DURATION OF TIME AWAKE	

WHAT I WAS DOING BEFORE I FEEL ASLEEP	

WHAT WOKE ME UP	O TOILET	O TOO COLD	O BAD DREAM
	O ANXIETY	O UNCOMFORTABLE	O OTHER

WHAT HELPED ME FALL BACK ASLEEP	O EXERCISE	O BOOK	O MUSIC
	O FOOD	O MEDICATION	O OTHER

TIME I WOKE UP		TOTAL SLEEP TIME	

MY SLEEP RATING	O [1] O [2] O [3] O [4] O [5] O [6] O [7] O [8] O [9] O [10]

DID I SLEEP BETTER THAN THE NIGHT BEFORE?	O YES O NO

SLEEP JOURNAL

DATE:		DAY:	O MON	O TUE	O WED	O THU	O FRI	O SAT	O SUN

EVENING ASSESSMENT

QUANTITY OF WATER CONSUMED		TOTAL EXERCISE TIME	
QUANTITY OF CAFFEINE / ALCOHOL		QUANTITY OF NICOTINE	

FOOD CONSUMED AFTER 6 P.M.	NAPS TAKE AND TIMES
	1
	2
	3

MEDICATIONS TAKEN	TIME	DOSAGE	TIMES

ACTIVITIES DONE TODAY	HOW DID I FEEL TODAY

MORNING ASSESSMENT

TIME I WENT TO BED		TIME I FELL ASLEEP	
NUMBER OF TIMES I WOKE UP		DURATION OF TIME AWAKE	

WHAT I WAS DOING BEFORE I FEEL ASLEEP	

WHAT WOKE ME UP	O TOILET	O TOO COLD	O BAD DREAM
	O ANXIETY	O UNCOMFORTABLE	O OTHER
WHAT HELPED ME FALL BACK ASLEEP	O EXERCISE	O BOOK	O MUSIC
	O FOOD	O MEDICATION	O OTHER

TIME I WOKE UP		TOTAL SLEEP TIME	

MY SLEEP RATING	O [1] O [2] O [3] O [4] O [5] O [6] O [7] O [8] O [9] O [10]

DID I SLEEP BETTER THAN THE NIGHT BEFORE?	O YES O NO

SLEEP JOURNAL

ATE:		DAY:	O MON	O TUE	O WED	O THU	O FRI	O SAT	O SUN

EVENING ASSESSMENT

QUANTITY OF WATER CONSUMED		TOTAL EXERCISE TIME	
QUANTITY OF CAFFEINE / ALCOHOL		QUANTITY OF NICOTINE	

FOOD CONSUMED AFTER 6 P.M.	NAPS TAKE AND TIMES
	1
	2
	3

MEDICATIONS TAKEN	TIME	DOSAGE	TIMES

ACTIVITIES DONE TODAY	HOW DID I FEEL TODAY

MORNING ASSESSMENT

TIME I WENT TO BED		TIME I FELL ASLEEP	
NUMBER OF TIMES I WOKE UP		DURATION OF TIME AWAKE	

WHAT I WAS DOING BEFORE I FEEL ASLEEP	

WHAT WOKE ME UP	O TOILET	O TOO COLD	O BAD DREAM
	O ANXIETY	O UNCOMFORTABLE	O OTHER

WHAT HELPED ME FALL BACK ASLEEP	O EXERCISE	O BOOK	O MUSIC
	O FOOD	O MEDICATION	O OTHER

ME I WOKE UP		TOTAL SLEEP TIME	

Y SLEEP RATING	O [1] O [2] O [3] O [4] O [5] O [6] O [7] O [8] O [9] O [10]

ID I SLEEP BETTER THAN THE NIGHT BEFORE?	O YES O NO

SLEEP JOURNAL

DATE:		DAY:	O MON	O TUE	O WED	O THU	O FRI	O SAT	O SUN

EVENING ASSESSMENT

QUANTITY OF WATER CONSUMED		TOTAL EXERCISE TIME	
QUANTITY OF CAFFEINE / ALCOHOL		QUANTITY OF NICOTINE	

FOOD CONSUMED AFTER 6 P.M.	NAPS TAKE AND TIMES
	1
	2
	3

MEDICATIONS TAKEN	TIME	DOSAGE	TIMES

ACTIVITIES DONE TODAY	HOW DID I FEEL TODAY

MORNING ASSESSMENT

TIME I WENT TO BED		TIME I FELL ASLEEP	
NUMBER OF TIMES I WOKE UP		DURATION OF TIME AWAKE	

WHAT I WAS DOING BEFORE I FEEL ASLEEP	

WHAT WOKE ME UP	O TOILET	O TOO COLD	O BAD DREAM
	O ANXIETY	O UNCOMFORTABLE	O OTHER
WHAT HELPED ME FALL BACK ASLEEP	O EXERCISE	O BOOK	O MUSIC
	O FOOD	O MEDICATION	O OTHER

TIME I WOKE UP		TOTAL SLEEP TIME	

MY SLEEP RATING	O [1] O [2] O [3] O [4] O [5] O [6] O [7] O [8] O [9] O [10]

DID I SLEEP BETTER THAN THE NIGHT BEFORE?	O YES O NO

SLEEP JOURNAL

DATE:		DAY:	O MON	O TUE	O WED	O THU	O FRI	O SAT	O SUN

EVENING ASSESSMENT

QUANTITY OF WATER CONSUMED		TOTAL EXERCISE TIME	
QUANTITY OF CAFFEINE / ALCOHOL		QUANTITY OF NICOTINE	

FOOD CONSUMED AFTER 6 P.M.	NAPS TAKE AND TIMES
	1
	2
	3

MEDICATIONS TAKEN	TIME	DOSAGE	TIMES

ACTIVITIES DONE TODAY	HOW DID I FEEL TODAY

MORNING ASSESSMENT

TIME I WENT TO BED		TIME I FELL ASLEEP	
NUMBER OF TIMES I WOKE UP		DURATION OF TIME AWAKE	

WHAT I WAS DOING BEFORE I FEEL ASLEEP			
WHAT WOKE ME UP	O TOILET	O TOO COLD	O BAD DREAM
	O ANXIETY	O UNCOMFORTABLE	O OTHER
WHAT HELPED ME FALL BACK ASLEEP	O EXERCISE	O BOOK	O MUSIC
	O FOOD	O MEDICATION	O OTHER

TIME I WOKE UP		TOTAL SLEEP TIME	

MY SLEEP RATING	O [1] O [2] O [3] O [4] O [5] O [6] O [7] O [8] O [9] O [10]

DID I SLEEP BETTER THAN THE NIGHT BEFORE?	O YES O NO

SLEEP JOURNAL

DATE:		DAY:	O MON	O TUE	O WED	O THU	O FRI	O SAT	O SUN

EVENING ASSESSMENT

QUANTITY OF WATER CONSUMED		TOTAL EXERCISE TIME	
QUANTITY OF CAFFEINE / ALCOHOL		QUANTITY OF NICOTINE	

FOOD CONSUMED AFTER 6 P.M.	NAPS TAKE AND TIMES
	1
	2
	3

MEDICATIONS TAKEN	TIME	DOSAGE	TIMES

ACTIVITIES DONE TODAY	HOW DID I FEEL TODAY

MORNING ASSESSMENT

TIME I WENT TO BED		TIME I FELL ASLEEP	
NUMBER OF TIMES I WOKE UP		DURATION OF TIME AWAKE	

WHAT I WAS DOING BEFORE I FEEL ASLEEP	

WHAT WOKE ME UP	O TOILET	O TOO COLD	O BAD DREAM
	O ANXIETY	O UNCOMFORTABLE	O OTHER
WHAT HELPED ME FALL BACK ASLEEP	O EXERCISE	O BOOK	O MUSIC
	O FOOD	O MEDICATION	O OTHER

TIME I WOKE UP		TOTAL SLEEP TIME	

MY SLEEP RATING	O [1] O [2] O [3] O [4] O [5] O [6] O [7] O [8] O [9] O [10]

DID I SLEEP BETTER THAN THE NIGHT BEFORE?	O YES O NO

SLEEP JOURNAL

DATE:		DAY:	O MON	O TUE	O WED	O THU	O FRI	O SAT	O SUN

EVENING ASSESSMENT

QUANTITY OF WATER CONSUMED		TOTAL EXERCISE TIME	
QUANTITY OF CAFFEINE / ALCOHOL		QUANTITY OF NICOTINE	

FOOD CONSUMED AFTER 6 P.M.	NAPS TAKE AND TIMES
	1
	2
	3

MEDICATIONS TAKEN	TIME	DOSAGE	TIMES

ACTIVITIES DONE TODAY	HOW DID I FEEL TODAY

MORNING ASSESSMENT

TIME I WENT TO BED		TIME I FELL ASLEEP	
NUMBER OF TIMES I WOKE UP		DURATION OF TIME AWAKE	
WHAT I WAS DOING BEFORE I FEEL ASLEEP			

WHAT WOKE ME UP	O TOILET	O TOO COLD	O BAD DREAM
	O ANXIETY	O UNCOMFORTABLE	O OTHER
WHAT HELPED ME FALL BACK ASLEEP	O EXERCISE	O BOOK	O MUSIC
	O FOOD	O MEDICATION	O OTHER

TIME I WOKE UP		TOTAL SLEEP TIME	

MY SLEEP RATING	O [1] O [2] O [3] O [4] O [5] O [6] O [7] O [8] O [9] O [10]

DID I SLEEP BETTER THAN THE NIGHT BEFORE?	O YES O NO

SLEEP JOURNAL

DATE:		DAY:	O MON	O TUE	O WED	O THU	O FRI	O SAT	O SUN

EVENING ASSESSMENT

QUANTITY OF WATER CONSUMED		TOTAL EXERCISE TIME	
QUANTITY OF CAFFEINE / ALCOHOL		QUANTITY OF NICOTINE	

FOOD CONSUMED AFTER 6 P.M.		NAPS TAKE AND TIMES	
		1	
		2	
		3	

MEDICATIONS TAKEN	TIME	DOSAGE	TIMES

ACTIVITIES DONE TODAY	HOW DID I FEEL TODAY

MORNING ASSESSMENT

TIME I WENT TO BED		TIME I FELL ASLEEP	
NUMBER OF TIMES I WOKE UP		DURATION OF TIME AWAKE	

WHAT I WAS DOING BEFORE I FEEL ASLEEP	

WHAT WOKE ME UP	O TOILET	O TOO COLD	O BAD DREAM
	O ANXIETY	O UNCOMFORTABLE	O OTHER
WHAT HELPED ME FALL BACK ASLEEP	O EXERCISE	O BOOK	O MUSIC
	O FOOD	O MEDICATION	O OTHER

TIME I WOKE UP		TOTAL SLEEP TIME	

MY SLEEP RATING	O [1] O [2] O [3] O [4] O [5] O [6] O [7] O [8] O [9] O [10]

DID I SLEEP BETTER THAN THE NIGHT BEFORE?	O YES O NO

SLEEP JOURNAL

DATE:		DAY:	O MON	O TUE	O WED	O THU	O FRI	O SAT	O SUN

EVENING ASSESSMENT

QUANTITY OF WATER CONSUMED		TOTAL EXERCISE TIME	
QUANTITY OF CAFFEINE / ALCOHOL		QUANTITY OF NICOTINE	

FOOD CONSUMED AFTER 6 P.M.	NAPS TAKE AND TIMES
	1
	2
	3

MEDICATIONS TAKEN	TIME	DOSAGE	TIMES

ACTIVITIES DONE TODAY	HOW DID I FEEL TODAY

MORNING ASSESSMENT

TIME I WENT TO BED		TIME I FELL ASLEEP	
NUMBER OF TIMES I WOKE UP		DURATION OF TIME AWAKE	

WHAT I WAS DOING BEFORE I FEEL ASLEEP	

WHAT WOKE ME UP	O TOILET	O TOO COLD	O BAD DREAM
	O ANXIETY	O UNCOMFORTABLE	O OTHER
WHAT HELPED ME FALL BACK ASLEEP	O EXERCISE	O BOOK	O MUSIC
	O FOOD	O MEDICATION	O OTHER

TIME I WOKE UP		TOTAL SLEEP TIME	

MY SLEEP RATING	O [1] O [2] O [3] O [4] O [5] O [6] O [7] O [8] O [9] O [10]

DID I SLEEP BETTER THAN THE NIGHT BEFORE?	O YES O NO

SLEEP JOURNAL

DATE:		DAY:	O MON	O TUE	O WED	O THU	O FRI	O SAT	O SUN

EVENING ASSESSMENT

QUANTITY OF WATER CONSUMED		TOTAL EXERCISE TIME	
QUANTITY OF CAFFEINE / ALCOHOL		QUANTITY OF NICOTINE	

FOOD CONSUMED AFTER 6 P.M.	NAPS TAKE AND TIMES
	1
	2
	3

MEDICATIONS TAKEN	TIME	DOSAGE	TIMES

ACTIVITIES DONE TODAY	HOW DID I FEEL TODAY

MORNING ASSESSMENT

TIME I WENT TO BED		TIME I FELL ASLEEP	
NUMBER OF TIMES I WOKE UP		DURATION OF TIME AWAKE	

WHAT I WAS DOING BEFORE I FEEL ASLEEP	

WHAT WOKE ME UP	O TOILET	O TOO COLD	O BAD DREAM
	O ANXIETY	O UNCOMFORTABLE	O OTHER
WHAT HELPED ME FALL BACK ASLEEP	O EXERCISE	O BOOK	O MUSIC
	O FOOD	O MEDICATION	O OTHER

TIME I WOKE UP		TOTAL SLEEP TIME	

MY SLEEP RATING	O [1] O [2] O [3] O [4] O [5] O [6] O [7] O [8] O [9] O [10]

DID I SLEEP BETTER THAN THE NIGHT BEFORE?	O YES O NO

SLEEP JOURNAL

DATE:		DAY:	O MON	O TUE	O WED	O THU	O FRI	O SAT	O SUN

EVENING ASSESSMENT

QUANTITY OF WATER CONSUMED		TOTAL EXERCISE TIME	
QUANTITY OF CAFFEINE / ALCOHOL		QUANTITY OF NICOTINE	

FOOD CONSUMED AFTER 6 P.M.	NAPS TAKE AND TIMES
	1
	2
	3

MEDICATIONS TAKEN	TIME	DOSAGE	TIMES

ACTIVITIES DONE TODAY	HOW DID I FEEL TODAY

MORNING ASSESSMENT

TIME I WENT TO BED		TIME I FELL ASLEEP	
NUMBER OF TIMES I WOKE UP		DURATION OF TIME AWAKE	

WHAT I WAS DOING BEFORE I FEEL ASLEEP	

WHAT WOKE ME UP	O TOILET	O TOO COLD	O BAD DREAM
	O ANXIETY	O UNCOMFORTABLE	O OTHER
WHAT HELPED ME FALL BACK ASLEEP	O EXERCISE	O BOOK	O MUSIC
	O FOOD	O MEDICATION	O OTHER

TIME I WOKE UP		TOTAL SLEEP TIME	

MY SLEEP RATING	O [1] O [2] O [3] O [4] O [5] O [6] O [7] O [8] O [9] O [10]

DID I SLEEP BETTER THAN THE NIGHT BEFORE?	O YES O NO

SLEEP JOURNAL

DATE:		DAY:	O MON	O TUE	O WED	O THU	O FRI	O SAT	O SUN

EVENING ASSESSMENT

QUANTITY OF WATER CONSUMED		TOTAL EXERCISE TIME	
QUANTITY OF CAFFEINE / ALCOHOL		QUANTITY OF NICOTINE	

FOOD CONSUMED AFTER 6 P.M.	NAPS TAKE AND TIMES
	1
	2
	3

MEDICATIONS TAKEN	TIME	DOSAGE	TIMES

ACTIVITIES DONE TODAY	HOW DID I FEEL TODAY

MORNING ASSESSMENT

TIME I WENT TO BED		TIME I FELL ASLEEP	
NUMBER OF TIMES I WOKE UP		DURATION OF TIME AWAKE	

WHAT I WAS DOING BEFORE I FEEL ASLEEP	

WHAT WOKE ME UP	O TOILET	O TOO COLD	O BAD DREAM
	O ANXIETY	O UNCOMFORTABLE	O OTHER

WHAT HELPED ME FALL BACK ASLEEP	O EXERCISE	O BOOK	O MUSIC
	O FOOD	O MEDICATION	O OTHER

TIME I WOKE UP		TOTAL SLEEP TIME	

MY SLEEP RATING	O [1] O [2] O [3] O [4] O [5] O [6] O [7] O [8] O [9] O [10]

DID I SLEEP BETTER THAN THE NIGHT BEFORE?	O YES O NO

SLEEP JOURNAL

ATE:		DAY:	O MON	O TUE	O WED	O THU	O FRI	O SAT	O SUN

EVENING ASSESSMENT

QUANTITY OF WATER CONSUMED		TOTAL EXERCISE TIME	
QUANTITY OF CAFFEINE / ALCOHOL		QUANTITY OF NICOTINE	

FOOD CONSUMED AFTER 6 P.M.	NAPS TAKE AND TIMES
	1
	2
	3

MEDICATIONS TAKEN	TIME	DOSAGE	TIMES

ACTIVITIES DONE TODAY	HOW DID I FEEL TODAY

MORNING ASSESSMENT

TIME I WENT TO BED		TIME I FELL ASLEEP	
NUMBER OF TIMES I WOKE UP		DURATION OF TIME AWAKE	

WHAT I WAS DOING BEFORE I FEEL ASLEEP	

WHAT WOKE ME UP	O TOILET	O TOO COLD	O BAD DREAM
	O ANXIETY	O UNCOMFORTABLE	O OTHER
WHAT HELPED ME FALL BACK ASLEEP	O EXERCISE	O BOOK	O MUSIC
	O FOOD	O MEDICATION	O OTHER

ME I WOKE UP		TOTAL SLEEP TIME	

Y SLEEP RATING	O [1] O [2] O [3] O [4] O [5] O [6] O [7] O [8] O [9] O [10]

ID I SLEEP BETTER THAN THE NIGHT BEFORE?	O YES O NO

SLEEP JOURNAL

DATE:		DAY:	O MON	O TUE	O WED	O THU	O FRI	O SAT	O SUN

EVENING ASSESSMENT

QUANTITY OF WATER CONSUMED		TOTAL EXERCISE TIME	
QUANTITY OF CAFFEINE / ALCOHOL		QUANTITY OF NICOTINE	

FOOD CONSUMED AFTER 6 P.M.	NAPS TAKE AND TIMES
	1
	2
	3

MEDICATIONS TAKEN	TIME	DOSAGE	TIMES

ACTIVITIES DONE TODAY	HOW DID I FEEL TODAY

MORNING ASSESSMENT

TIME I WENT TO BED		TIME I FELL ASLEEP	
NUMBER OF TIMES I WOKE UP		DURATION OF TIME AWAKE	

WHAT I WAS DOING BEFORE I FEEL ASLEEP	

WHAT WOKE ME UP	O TOILET	O TOO COLD	O BAD DREAM
	O ANXIETY	O UNCOMFORTABLE	O OTHER
WHAT HELPED ME FALL BACK ASLEEP	O EXERCISE	O BOOK	O MUSIC
	O FOOD	O MEDICATION	O OTHER

TIME I WOKE UP		TOTAL SLEEP TIME	

MY SLEEP RATING	O [1] O [2] O [3] O [4] O [5] O [6] O [7] O [8] O [9] O [10]

DID I SLEEP BETTER THAN THE NIGHT BEFORE?	O YES O NO

SLEEP JOURNAL

ATE:		DAY:	O MON	O TUE	O WED	O THU	O FRI	O SAT	O SUN

EVENING ASSESSMENT

QUANTITY OF WATER CONSUMED		TOTAL EXERCISE TIME	
QUANTITY OF CAFFEINE / ALCOHOL		QUANTITY OF NICOTINE	

FOOD CONSUMED AFTER 6 P.M.	NAPS TAKE AND TIMES
	1
	2
	3

MEDICATIONS TAKEN	TIME	DOSAGE	TIMES

ACTIVITIES DONE TODAY	HOW DID I FEEL TODAY

MORNING ASSESSMENT

TIME I WENT TO BED		TIME I FELL ASLEEP	
NUMBER OF TIMES I WOKE UP		DURATION OF TIME AWAKE	

WHAT I WAS DOING BEFORE I FEEL ASLEEP	

WHAT WOKE ME UP	O TOILET	O TOO COLD	O BAD DREAM
	O ANXIETY	O UNCOMFORTABLE	O OTHER

WHAT HELPED ME FALL BACK ASLEEP	O EXERCISE	O BOOK	O MUSIC
	O FOOD	O MEDICATION	O OTHER

ME I WOKE UP		TOTAL SLEEP TIME	

Y SLEEP RATING	O [1] O [2] O [3] O [4] O [5] O [6] O [7] O [8] O [9] O [10]

ID I SLEEP BETTER THAN THE NIGHT BEFORE?	O YES O NO

SLEEP JOURNAL

DATE:		DAY:	O MON	O TUE	O WED	O THU	O FRI	O SAT	O SUN

EVENING ASSESSMENT

QUANTITY OF WATER CONSUMED		TOTAL EXERCISE TIME	
QUANTITY OF CAFFEINE / ALCOHOL		QUANTITY OF NICOTINE	

FOOD CONSUMED AFTER 6 P.M.	NAPS TAKE AND TIMES
	1
	2
	3

MEDICATIONS TAKEN	TIME	DOSAGE	TIMES

ACTIVITIES DONE TODAY	HOW DID I FEEL TODAY

MORNING ASSESSMENT

TIME I WENT TO BED		TIME I FELL ASLEEP	
NUMBER OF TIMES I WOKE UP		DURATION OF TIME AWAKE	

WHAT I WAS DOING BEFORE I FEEL ASLEEP	

WHAT WOKE ME UP	O TOILET	O TOO COLD	O BAD DREAM
	O ANXIETY	O UNCOMFORTABLE	O OTHER
WHAT HELPED ME FALL BACK ASLEEP	O EXERCISE	O BOOK	O MUSIC
	O FOOD	O MEDICATION	O OTHER

TIME I WOKE UP		TOTAL SLEEP TIME	

MY SLEEP RATING	O [1] O [2] O [3] O [4] O [5] O [6] O [7] O [8] O [9] O [10]

DID I SLEEP BETTER THAN THE NIGHT BEFORE?	O YES O NO

SLEEP JOURNAL

ATE:		DAY:	O MON	O TUE	O WED	O THU	O FRI	O SAT	O SUN

EVENING ASSESSMENT

QUANTITY OF WATER CONSUMED		TOTAL EXERCISE TIME	
QUANTITY OF CAFFEINE / ALCOHOL		QUANTITY OF NICOTINE	

FOOD CONSUMED AFTER 6 P.M.	NAPS TAKE AND TIMES
	1
	2
	3

MEDICATIONS TAKEN	TIME	DOSAGE	TIMES

ACTIVITIES DONE TODAY	HOW DID I FEEL TODAY

MORNING ASSESSMENT

TIME I WENT TO BED		TIME I FELL ASLEEP	
NUMBER OF TIMES I WOKE UP		DURATION OF TIME AWAKE	

WHAT I WAS DOING BEFORE I FEEL ASLEEP	

WHAT WOKE ME UP	O TOILET	O TOO COLD	O BAD DREAM
	O ANXIETY	O UNCOMFORTABLE	O OTHER
WHAT HELPED ME FALL BACK ASLEEP	O EXERCISE	O BOOK	O MUSIC
	O FOOD	O MEDICATION	O OTHER

ME I WOKE UP		TOTAL SLEEP TIME	

Y SLEEP RATING	O [1] O [2] O [3] O [4] O [5] O [6] O [7] O [8] O [9] O [10]

ID I SLEEP BETTER THAN THE NIGHT BEFORE?	O YES O NO

SLEEP JOURNAL

DATE:		DAY:	O MON	O TUE	O WED	O THU	O FRI	O SAT	O SUN

EVENING ASSESSMENT

QUANTITY OF WATER CONSUMED		TOTAL EXERCISE TIME	
QUANTITY OF CAFFEINE / ALCOHOL		QUANTITY OF NICOTINE	

FOOD CONSUMED AFTER 6 P.M.	NAPS TAKE AND TIMES
	1
	2
	3

MEDICATIONS TAKEN	TIME	DOSAGE	TIMES

ACTIVITIES DONE TODAY	HOW DID I FEEL TODAY

MORNING ASSESSMENT

TIME I WENT TO BED		TIME I FELL ASLEEP	
NUMBER OF TIMES I WOKE UP		DURATION OF TIME AWAKE	

WHAT I WAS DOING BEFORE I FEEL ASLEEP	

WHAT WOKE ME UP	O TOILET	O TOO COLD	O BAD DREAM
	O ANXIETY	O UNCOMFORTABLE	O OTHER
WHAT HELPED ME FALL BACK ASLEEP	O EXERCISE	O BOOK	O MUSIC
	O FOOD	O MEDICATION	O OTHER

TIME I WOKE UP		TOTAL SLEEP TIME	

MY SLEEP RATING	O [1] O [2] O [3] O [4] O [5] O [6] O [7] O [8] O [9] O [10]

DID I SLEEP BETTER THAN THE NIGHT BEFORE?	O YES O NO

SLEEP JOURNAL

ATE:		DAY:	O MON	O TUE	O WED	O THU	O FRI	O SAT	O SUN

EVENING ASSESSMENT

QUANTITY OF WATER CONSUMED		TOTAL EXERCISE TIME	
QUANTITY OF CAFFEINE / ALCOHOL		QUANTITY OF NICOTINE	

FOOD CONSUMED AFTER 6 P.M.	NAPS TAKE AND TIMES
	1
	2
	3

MEDICATIONS TAKEN	TIME	DOSAGE	TIMES

ACTIVITIES DONE TODAY	HOW DID I FEEL TODAY

MORNING ASSESSMENT

TIME I WENT TO BED		TIME I FELL ASLEEP	
NUMBER OF TIMES I WOKE UP		DURATION OF TIME AWAKE	

WHAT I WAS DOING BEFORE I FEEL ASLEEP	

WHAT WOKE ME UP	O TOILET	O TOO COLD	O BAD DREAM
	O ANXIETY	O UNCOMFORTABLE	O OTHER

WHAT HELPED ME FALL BACK ASLEEP	O EXERCISE	O BOOK	O MUSIC
	O FOOD	O MEDICATION	O OTHER

ME I WOKE UP		TOTAL SLEEP TIME	

Y SLEEP RATING	O [1] O [2] O [3] O [4] O [5] O [6] O [7] O [8] O [9] O [10]

ID I SLEEP BETTER THAN THE NIGHT BEFORE?	O YES O NO

SLEEP JOURNAL

DATE:		DAY:	O MON	O TUE	O WED	O THU	O FRI	O SAT	O SUN

EVENING ASSESSMENT

QUANTITY OF WATER CONSUMED		TOTAL EXERCISE TIME	
QUANTITY OF CAFFEINE / ALCOHOL		QUANTITY OF NICOTINE	

FOOD CONSUMED AFTER 6 P.M.	NAPS TAKE AND TIMES
	1
	2
	3

MEDICATIONS TAKEN	TIME	DOSAGE	TIMES

ACTIVITIES DONE TODAY	HOW DID I FEEL TODAY

MORNING ASSESSMENT

TIME I WENT TO BED		TIME I FELL ASLEEP	
NUMBER OF TIMES I WOKE UP		DURATION OF TIME AWAKE	

WHAT I WAS DOING BEFORE I FEEL ASLEEP	

WHAT WOKE ME UP	O TOILET	O TOO COLD	O BAD DREAM
	O ANXIETY	O UNCOMFORTABLE	O OTHER
WHAT HELPED ME FALL BACK ASLEEP	O EXERCISE	O BOOK	O MUSIC
	O FOOD	O MEDICATION	O OTHER

TIME I WOKE UP		TOTAL SLEEP TIME	

MY SLEEP RATING	O [1] O [2] O [3] O [4] O [5] O [6] O [7] O [8] O [9] O [10]

DID I SLEEP BETTER THAN THE NIGHT BEFORE?	O YES O NO

SLEEP JOURNAL

DATE:		DAY:	O MON	O TUE	O WED	O THU	O FRI	O SAT	O SUN

EVENING ASSESSMENT

QUANTITY OF WATER CONSUMED		TOTAL EXERCISE TIME	
QUANTITY OF CAFFEINE / ALCOHOL		QUANTITY OF NICOTINE	

FOOD CONSUMED AFTER 6 P.M.	NAPS TAKE AND TIMES
	1
	2
	3

MEDICATIONS TAKEN	TIME	DOSAGE	TIMES

ACTIVITIES DONE TODAY	HOW DID I FEEL TODAY

MORNING ASSESSMENT

TIME I WENT TO BED		TIME I FELL ASLEEP	
NUMBER OF TIMES I WOKE UP		DURATION OF TIME AWAKE	

WHAT I WAS DOING BEFORE I FEEL ASLEEP	

WHAT WOKE ME UP	O TOILET	O TOO COLD	O BAD DREAM
	O ANXIETY	O UNCOMFORTABLE	O OTHER
WHAT HELPED ME FALL BACK ASLEEP	O EXERCISE	O BOOK	O MUSIC
	O FOOD	O MEDICATION	O OTHER

TIME I WOKE UP		TOTAL SLEEP TIME	

MY SLEEP RATING	O [1] O [2] O [3] O [4] O [5] O [6] O [7] O [8] O [9] O [10]

DID I SLEEP BETTER THAN THE NIGHT BEFORE?	O YES O NO

SLEEP JOURNAL

DATE:		DAY:	O MON	O TUE	O WED	O THU	O FRI	O SAT	O SUN

EVENING ASSESSMENT

QUANTITY OF WATER CONSUMED		TOTAL EXERCISE TIME	
QUANTITY OF CAFFEINE / ALCOHOL		QUANTITY OF NICOTINE	

FOOD CONSUMED AFTER 6 P.M.	NAPS TAKE AND TIMES
	1
	2
	3

MEDICATIONS TAKEN	TIME	DOSAGE	TIMES

ACTIVITIES DONE TODAY	HOW DID I FEEL TODAY

MORNING ASSESSMENT

TIME I WENT TO BED		TIME I FELL ASLEEP	
NUMBER OF TIMES I WOKE UP		DURATION OF TIME AWAKE	

WHAT I WAS DOING BEFORE I FEEL ASLEEP	

WHAT WOKE ME UP	O TOILET	O TOO COLD	O BAD DREAM
	O ANXIETY	O UNCOMFORTABLE	O OTHER
WHAT HELPED ME FALL BACK ASLEEP	O EXERCISE	O BOOK	O MUSIC
	O FOOD	O MEDICATION	O OTHER

TIME I WOKE UP		TOTAL SLEEP TIME	

MY SLEEP RATING	O [1] O [2] O [3] O [4] O [5] O [6] O [7] O [8] O [9] O [10]

DID I SLEEP BETTER THAN THE NIGHT BEFORE?	O YES O NO

SLEEP JOURNAL

ATE:		DAY:	O MON	O TUE	O WED	O THU	O FRI	O SAT	O SUN

EVENING ASSESSMENT

QUANTITY OF WATER CONSUMED		TOTAL EXERCISE TIME	
QUANTITY OF CAFFEINE / ALCOHOL		QUANTITY OF NICOTINE	

FOOD CONSUMED AFTER 6 P.M.	NAPS TAKE AND TIMES
	1
	2
	3

MEDICATIONS TAKEN	TIME	DOSAGE	TIMES

ACTIVITIES DONE TODAY	HOW DID I FEEL TODAY

MORNING ASSESSMENT

TIME I WENT TO BED		TIME I FELL ASLEEP	
NUMBER OF TIMES I WOKE UP		DURATION OF TIME AWAKE	

WHAT I WAS DOING BEFORE I FEEL ASLEEP	

WHAT WOKE ME UP	O TOILET	O TOO COLD	O BAD DREAM
	O ANXIETY	O UNCOMFORTABLE	O OTHER

WHAT HELPED ME FALL BACK ASLEEP	O EXERCISE	O BOOK	O MUSIC
	O FOOD	O MEDICATION	O OTHER

ME I WOKE UP		TOTAL SLEEP TIME	

Y SLEEP RATING	O [1] O [2] O [3] O [4] O [5] O [6] O [7] O [8] O [9] O [10]

ID I SLEEP BETTER THAN THE NIGHT BEFORE?	O YES O NO

SLEEP JOURNAL

DATE:		DAY:	O MON	O TUE	O WED	O THU	O FRI	O SAT	O SUN

EVENING ASSESSMENT

QUANTITY OF WATER CONSUMED		TOTAL EXERCISE TIME	
QUANTITY OF CAFFEINE / ALCOHOL		QUANTITY OF NICOTINE	

FOOD CONSUMED AFTER 6 P.M.	NAPS TAKE AND TIMES
	1
	2
	3

MEDICATIONS TAKEN	TIME	DOSAGE	TIMES

ACTIVITIES DONE TODAY	HOW DID I FEEL TODAY

MORNING ASSESSMENT

TIME I WENT TO BED		TIME I FELL ASLEEP	
NUMBER OF TIMES I WOKE UP		DURATION OF TIME AWAKE	

WHAT I WAS DOING BEFORE I FEEL ASLEEP	

WHAT WOKE ME UP	O TOILET	O TOO COLD	O BAD DREAM
	O ANXIETY	O UNCOMFORTABLE	O OTHER
WHAT HELPED ME FALL BACK ASLEEP	O EXERCISE	O BOOK	O MUSIC
	O FOOD	O MEDICATION	O OTHER

TIME I WOKE UP		TOTAL SLEEP TIME	

MY SLEEP RATING	O [1] O [2] O [3] O [4] O [5] O [6] O [7] O [8] O [9] O [10]

DID I SLEEP BETTER THAN THE NIGHT BEFORE?	O YES O NO

SLEEP JOURNAL

DATE:		DAY:	O MON	O TUE	O WED	O THU	O FRI	O SAT	O SUN

EVENING ASSESSMENT

QUANTITY OF WATER CONSUMED		TOTAL EXERCISE TIME	
QUANTITY OF CAFFEINE / ALCOHOL		QUANTITY OF NICOTINE	

FOOD CONSUMED AFTER 6 P.M.	NAPS TAKE AND TIMES
	1
	2
	3

MEDICATIONS TAKEN	TIME	DOSAGE	TIMES

ACTIVITIES DONE TODAY	HOW DID I FEEL TODAY

MORNING ASSESSMENT

TIME I WENT TO BED		TIME I FELL ASLEEP	
NUMBER OF TIMES I WOKE UP		DURATION OF TIME AWAKE	

WHAT I WAS DOING BEFORE I FEEL ASLEEP	

WHAT WOKE ME UP	O TOILET	O TOO COLD	O BAD DREAM
	O ANXIETY	O UNCOMFORTABLE	O OTHER
WHAT HELPED ME FALL BACK ASLEEP	O EXERCISE	O BOOK	O MUSIC
	O FOOD	O MEDICATION	O OTHER

TIME I WOKE UP		TOTAL SLEEP TIME	

MY SLEEP RATING	O [1] O [2] O [3] O [4] O [5] O [6] O [7] O [8] O [9] O [10]

DID I SLEEP BETTER THAN THE NIGHT BEFORE?	O YES O NO

SLEEP JOURNAL

DATE:		DAY:	O MON	O TUE	O WED	O THU	O FRI	O SAT	O SUN

EVENING ASSESSMENT

QUANTITY OF WATER CONSUMED		TOTAL EXERCISE TIME	
QUANTITY OF CAFFEINE / ALCOHOL		QUANTITY OF NICOTINE	

FOOD CONSUMED AFTER 6 P.M.	NAPS TAKE AND TIMES
	1
	2
	3

MEDICATIONS TAKEN	TIME	DOSAGE	TIMES

ACTIVITIES DONE TODAY	HOW DID I FEEL TODAY

MORNING ASSESSMENT

TIME I WENT TO BED		TIME I FELL ASLEEP	
NUMBER OF TIMES I WOKE UP		DURATION OF TIME AWAKE	

WHAT I WAS DOING BEFORE I FEEL ASLEEP	

WHAT WOKE ME UP	O TOILET	O TOO COLD	O BAD DREAM
	O ANXIETY	O UNCOMFORTABLE	O OTHER
WHAT HELPED ME FALL BACK ASLEEP	O EXERCISE	O BOOK	O MUSIC
	O FOOD	O MEDICATION	O OTHER

TIME I WOKE UP		TOTAL SLEEP TIME	

MY SLEEP RATING	O [1] O [2] O [3] O [4] O [5] O [6] O [7] O [8] O [9] O [10]

DID I SLEEP BETTER THAN THE NIGHT BEFORE?	O YES O NO

SLEEP JOURNAL

ATE:		DAY:	O MON	O TUE	O WED	O THU	O FRI	O SAT	O SUN

EVENING ASSESSMENT

QUANTITY OF WATER CONSUMED		TOTAL EXERCISE TIME	
QUANTITY OF CAFFEINE / ALCOHOL		QUANTITY OF NICOTINE	

FOOD CONSUMED AFTER 6 P.M.	NAPS TAKE AND TIMES
	1
	2
	3

MEDICATIONS TAKEN	TIME	DOSAGE	TIMES

ACTIVITIES DONE TODAY	HOW DID I FEEL TODAY

MORNING ASSESSMENT

TIME I WENT TO BED		TIME I FELL ASLEEP	
NUMBER OF TIMES I WOKE UP		DURATION OF TIME AWAKE	

WHAT I WAS DOING BEFORE I FEEL ASLEEP			
WHAT WOKE ME UP	O TOILET	O TOO COLD	O BAD DREAM
	O ANXIETY	O UNCOMFORTABLE	O OTHER
WHAT HELPED ME FALL BACK ASLEEP	O EXERCISE	O BOOK	O MUSIC
	O FOOD	O MEDICATION	O OTHER

ME I WOKE UP		TOTAL SLEEP TIME	

Y SLEEP RATING	O [1] O [2] O [3] O [4] O [5] O [6] O [7] O [8] O [9] O [10]

D I SLEEP BETTER THAN THE NIGHT BEFORE?	O YES O NO

SLEEP JOURNAL

DATE:		DAY:	O MON	O TUE	O WED	O THU	O FRI	O SAT	O SUN

EVENING ASSESSMENT

QUANTITY OF WATER CONSUMED		TOTAL EXERCISE TIME	
QUANTITY OF CAFFEINE / ALCOHOL		QUANTITY OF NICOTINE	

FOOD CONSUMED AFTER 6 P.M.	NAPS TAKE AND TIMES
	1
	2
	3

MEDICATIONS TAKEN	TIME	DOSAGE	TIMES

ACTIVITIES DONE TODAY	HOW DID I FEEL TODAY

MORNING ASSESSMENT

TIME I WENT TO BED		TIME I FELL ASLEEP	
NUMBER OF TIMES I WOKE UP		DURATION OF TIME AWAKE	

WHAT I WAS DOING BEFORE I FEEL ASLEEP	

WHAT WOKE ME UP	O TOILET	O TOO COLD	O BAD DREAM
	O ANXIETY	O UNCOMFORTABLE	O OTHER
WHAT HELPED ME FALL BACK ASLEEP	O EXERCISE	O BOOK	O MUSIC
	O FOOD	O MEDICATION	O OTHER

TIME I WOKE UP		TOTAL SLEEP TIME	

MY SLEEP RATING	O [1] O [2] O [3] O [4] O [5] O [6] O [7] O [8] O [9] O [10]

DID I SLEEP BETTER THAN THE NIGHT BEFORE?	O YES O NO

SLEEP JOURNAL

ATE:		DAY:	O MON	O TUE	O WED	O THU	O FRI	O SAT	O SUN

EVENING ASSESSMENT

QUANTITY OF WATER CONSUMED		TOTAL EXERCISE TIME	
QUANTITY OF CAFFEINE / ALCOHOL		QUANTITY OF NICOTINE	

FOOD CONSUMED AFTER 6 P.M.	NAPS TAKE AND TIMES
	1
	2
	3

MEDICATIONS TAKEN	TIME	DOSAGE	TIMES

ACTIVITIES DONE TODAY	HOW DID I FEEL TODAY

MORNING ASSESSMENT

TIME I WENT TO BED		TIME I FELL ASLEEP	
NUMBER OF TIMES I WOKE UP		DURATION OF TIME AWAKE	

WHAT I WAS DOING BEFORE I FEEL ASLEEP	

WHAT WOKE ME UP	O TOILET	O TOO COLD	O BAD DREAM
	O ANXIETY	O UNCOMFORTABLE	O OTHER

WHAT HELPED ME FALL BACK ASLEEP	O EXERCISE	O BOOK	O MUSIC
	O FOOD	O MEDICATION	O OTHER

ME I WOKE UP		TOTAL SLEEP TIME	

Y SLEEP RATING	O [1] O [2] O [3] O [4] O [5] O [6] O [7] O [8] O [9] O [10]

ID I SLEEP BETTER THAN THE NIGHT BEFORE?	O YES O NO

SLEEP JOURNAL

DATE:		DAY:	O MON	O TUE	O WED	O THU	O FRI	O SAT	O SUN

EVENING ASSESSMENT

QUANTITY OF WATER CONSUMED		TOTAL EXERCISE TIME	
QUANTITY OF CAFFEINE / ALCOHOL		QUANTITY OF NICOTINE	

FOOD CONSUMED AFTER 6 P.M.		NAPS TAKE AND TIMES	
		1	
		2	
		3	

MEDICATIONS TAKEN	TIME	DOSAGE	TIMES

ACTIVITIES DONE TODAY	HOW DID I FEEL TODAY

MORNING ASSESSMENT

TIME I WENT TO BED		TIME I FELL ASLEEP	
NUMBER OF TIMES I WOKE UP		DURATION OF TIME AWAKE	

WHAT I WAS DOING BEFORE I FEEL ASLEEP	

WHAT WOKE ME UP	O TOILET	O TOO COLD	O BAD DREAM
	O ANXIETY	O UNCOMFORTABLE	O OTHER

WHAT HELPED ME FALL BACK ASLEEP	O EXERCISE	O BOOK	O MUSIC
	O FOOD	O MEDICATION	O OTHER

TIME I WOKE UP		TOTAL SLEEP TIME	

MY SLEEP RATING	O [1] O [2] O [3] O [4] O [5] O [6] O [7] O [8] O [9] O [10]

DID I SLEEP BETTER THAN THE NIGHT BEFORE?	O YES O NO

SLEEP JOURNAL

ATE:		DAY:	O MON	O TUE	O WED	O THU	O FRI	O SAT	O SUN

EVENING ASSESSMENT

QUANTITY OF WATER CONSUMED		TOTAL EXERCISE TIME	
QUANTITY OF CAFFEINE / ALCOHOL		QUANTITY OF NICOTINE	

FOOD CONSUMED AFTER 6 P.M.	NAPS TAKE AND TIMES
	1
	2
	3

MEDICATIONS TAKEN	TIME	DOSAGE	TIMES

ACTIVITIES DONE TODAY	HOW DID I FEEL TODAY

MORNING ASSESSMENT

TIME I WENT TO BED		TIME I FELL ASLEEP	
NUMBER OF TIMES I WOKE UP		DURATION OF TIME AWAKE	

WHAT I WAS DOING BEFORE I FEEL ASLEEP	

WHAT WOKE ME UP	O TOILET	O TOO COLD	O BAD DREAM
	O ANXIETY	O UNCOMFORTABLE	O OTHER

WHAT HELPED ME FALL BACK ASLEEP	O EXERCISE	O BOOK	O MUSIC
	O FOOD	O MEDICATION	O OTHER

ME I WOKE UP		TOTAL SLEEP TIME	

Y SLEEP RATING	O [1] O [2] O [3] O [4] O [5] O [6] O [7] O [8] O [9] O [10]

D I SLEEP BETTER THAN THE NIGHT BEFORE?	O YES O NO

SLEEP JOURNAL

DATE:		DAY:	O MON	O TUE	O WED	O THU	O FRI	O SAT	O SUN

EVENING ASSESSMENT

QUANTITY OF WATER CONSUMED		TOTAL EXERCISE TIME	
QUANTITY OF CAFFEINE / ALCOHOL		QUANTITY OF NICOTINE	

FOOD CONSUMED AFTER 6 P.M.	NAPS TAKE AND TIMES
	1
	2
	3

MEDICATIONS TAKEN	TIME	DOSAGE	TIMES

ACTIVITIES DONE TODAY	HOW DID I FEEL TODAY

MORNING ASSESSMENT

TIME I WENT TO BED		TIME I FELL ASLEEP	
NUMBER OF TIMES I WOKE UP		DURATION OF TIME AWAKE	

WHAT I WAS DOING BEFORE I FEEL ASLEEP	

WHAT WOKE ME UP	O TOILET	O TOO COLD	O BAD DREAM
	O ANXIETY	O UNCOMFORTABLE	O OTHER
WHAT HELPED ME FALL BACK ASLEEP	O EXERCISE	O BOOK	O MUSIC
	O FOOD	O MEDICATION	O OTHER

TIME I WOKE UP		TOTAL SLEEP TIME	

MY SLEEP RATING	O [1] O [2] O [3] O [4] O [5] O [6] O [7] O [8] O [9] O [10]

DID I SLEEP BETTER THAN THE NIGHT BEFORE?	O YES O NO

SLEEP JOURNAL

ATE:	DAY:	O MON	O TUE	O WED	O THU	O FRI	O SAT	O SUN

EVENING ASSESSMENT

QUANTITY OF WATER CONSUMED		TOTAL EXERCISE TIME	
QUANTITY OF CAFFEINE / ALCOHOL		QUANTITY OF NICOTINE	

FOOD CONSUMED AFTER 6 P.M.	NAPS TAKE AND TIMES
	1
	2
	3

MEDICATIONS TAKEN	TIME	DOSAGE	TIMES

ACTIVITIES DONE TODAY	HOW DID I FEEL TODAY

MORNING ASSESSMENT

TIME I WENT TO BED		TIME I FELL ASLEEP	
NUMBER OF TIMES I WOKE UP		DURATION OF TIME AWAKE	

WHAT I WAS DOING BEFORE I FEEL ASLEEP	

WHAT WOKE ME UP	O TOILET	O TOO COLD	O BAD DREAM
	O ANXIETY	O UNCOMFORTABLE	O OTHER

WHAT HELPED ME FALL BACK ASLEEP	O EXERCISE	O BOOK	O MUSIC
	O FOOD	O MEDICATION	O OTHER

ME I WOKE UP		TOTAL SLEEP TIME	

Y SLEEP RATING	O [1] O [2] O [3] O [4] O [5] O [6] O [7] O [8] O [9] O [10]

ID I SLEEP BETTER THAN THE NIGHT BEFORE?	O YES O NO

SLEEP JOURNAL

DATE:		DAY:	O MON	O TUE	O WED	O THU	O FRI	O SAT	O SU

EVENING ASSESSMENT

QUANTITY OF WATER CONSUMED		TOTAL EXERCISE TIME	
QUANTITY OF CAFFEINE / ALCOHOL		QUANTITY OF NICOTINE	

FOOD CONSUMED AFTER 6 P.M.	NAPS TAKE AND TIMES
	1
	2
	3

MEDICATIONS TAKEN	TIME	DOSAGE	TIMES

ACTIVITIES DONE TODAY	HOW DID I FEEL TODAY

MORNING ASSESSMENT

TIME I WENT TO BED		TIME I FELL ASLEEP	
NUMBER OF TIMES I WOKE UP		DURATION OF TIME AWAKE	

WHAT I WAS DOING BEFORE I FEEL ASLEEP	

WHAT WOKE ME UP	O TOILET	O TOO COLD	O BAD DREAM
	O ANXIETY	O UNCOMFORTABLE	O OTHER
WHAT HELPED ME FALL BACK ASLEEP	O EXERCISE	O BOOK	O MUSIC
	O FOOD	O MEDICATION	O OTHER

TIME I WOKE UP		TOTAL SLEEP TIME	

MY SLEEP RATING	O [1] O [2] O [3] O [4] O [5] O [6] O [7] O [8] O [9] O [10]

DID I SLEEP BETTER THAN THE NIGHT BEFORE?	O YES O NO

SLEEP JOURNAL

ATE:		DAY:	O MON	O TUE	O WED	O THU	O FRI	O SAT	O SUN

EVENING ASSESSMENT

QUANTITY OF WATER CONSUMED		TOTAL EXERCISE TIME	
QUANTITY OF CAFFEINE / ALCOHOL		QUANTITY OF NICOTINE	

FOOD CONSUMED AFTER 6 P.M.	NAPS TAKE AND TIMES
	1
	2
	3

MEDICATIONS TAKEN	TIME	DOSAGE	TIMES

ACTIVITIES DONE TODAY	HOW DID I FEEL TODAY

MORNING ASSESSMENT

TIME I WENT TO BED		TIME I FELL ASLEEP	
NUMBER OF TIMES I WOKE UP		DURATION OF TIME AWAKE	

WHAT I WAS DOING BEFORE I FEEL ASLEEP	

WHAT WOKE ME UP	O TOILET	O TOO COLD	O BAD DREAM
	O ANXIETY	O UNCOMFORTABLE	O OTHER
WHAT HELPED ME FALL BACK ASLEEP	O EXERCISE	O BOOK	O MUSIC
	O FOOD	O MEDICATION	O OTHER

ME I WOKE UP		TOTAL SLEEP TIME	

Y SLEEP RATING	O [1] O [2] O [3] O [4] O [5] O [6] O [7] O [8] O [9] O [10]

D I SLEEP BETTER THAN THE NIGHT BEFORE?	O YES O NO

SLEEP JOURNAL

DATE:		DAY:	O MON	O TUE	O WED	O THU	O FRI	O SAT	O SUN

EVENING ASSESSMENT

QUANTITY OF WATER CONSUMED		TOTAL EXERCISE TIME	
QUANTITY OF CAFFEINE / ALCOHOL		QUANTITY OF NICOTINE	

FOOD CONSUMED AFTER 6 P.M.	NAPS TAKE AND TIMES
	1
	2
	3

MEDICATIONS TAKEN	TIME	DOSAGE	TIMES

ACTIVITIES DONE TODAY	HOW DID I FEEL TODAY

MORNING ASSESSMENT

TIME I WENT TO BED		TIME I FELL ASLEEP	
NUMBER OF TIMES I WOKE UP		DURATION OF TIME AWAKE	

WHAT I WAS DOING BEFORE I FEEL ASLEEP	

WHAT WOKE ME UP	O TOILET	O TOO COLD	O BAD DREAM
	O ANXIETY	O UNCOMFORTABLE	O OTHER
WHAT HELPED ME FALL BACK ASLEEP	O EXERCISE	O BOOK	O MUSIC
	O FOOD	O MEDICATION	O OTHER

TIME I WOKE UP		TOTAL SLEEP TIME	

MY SLEEP RATING	O [1] O [2] O [3] O [4] O [5] O [6] O [7] O [8] O [9] O [10]

DID I SLEEP BETTER THAN THE NIGHT BEFORE?	O YES O NO

SLEEP JOURNAL

ATE:		DAY:	O MON	O TUE	O WED	O THU	O FRI	O SAT	O SUN

EVENING ASSESSMENT

QUANTITY OF WATER CONSUMED		TOTAL EXERCISE TIME	
QUANTITY OF CAFFEINE / ALCOHOL		QUANTITY OF NICOTINE	

FOOD CONSUMED AFTER 6 P.M.	NAPS TAKE AND TIMES
	1
	2
	3

MEDICATIONS TAKEN	TIME	DOSAGE	TIMES

ACTIVITIES DONE TODAY	HOW DID I FEEL TODAY

MORNING ASSESSMENT

TIME I WENT TO BED		TIME I FELL ASLEEP	
NUMBER OF TIMES I WOKE UP		DURATION OF TIME AWAKE	

WHAT I WAS DOING BEFORE I FEEL ASLEEP	

WHAT WOKE ME UP	O TOILET	O TOO COLD	O BAD DREAM
	O ANXIETY	O UNCOMFORTABLE	O OTHER

WHAT HELPED ME FALL BACK ASLEEP	O EXERCISE	O BOOK	O MUSIC
	O FOOD	O MEDICATION	O OTHER

ME I WOKE UP		TOTAL SLEEP TIME	

Y SLEEP RATING	O [1] O [2] O [3] O [4] O [5] O [6] O [7] O [8] O [9] O [10]

ID I SLEEP BETTER THAN THE NIGHT BEFORE?	O YES O NO

SLEEP JOURNAL

DATE:		DAY:	O MON	O TUE	O WED	O THU	O FRI	O SAT	O SUN

EVENING ASSESSMENT

QUANTITY OF WATER CONSUMED		TOTAL EXERCISE TIME	
QUANTITY OF CAFFEINE / ALCOHOL		QUANTITY OF NICOTINE	

FOOD CONSUMED AFTER 6 P.M.	NAPS TAKE AND TIMES
	1
	2
	3

MEDICATIONS TAKEN	TIME	DOSAGE	TIMES

ACTIVITIES DONE TODAY	HOW DID I FEEL TODAY

MORNING ASSESSMENT

TIME I WENT TO BED		TIME I FELL ASLEEP	
NUMBER OF TIMES I WOKE UP		DURATION OF TIME AWAKE	

WHAT I WAS DOING BEFORE I FEEL ASLEEP	

WHAT WOKE ME UP	O TOILET	O TOO COLD	O BAD DREAM
	O ANXIETY	O UNCOMFORTABLE	O OTHER
WHAT HELPED ME FALL BACK ASLEEP	O EXERCISE	O BOOK	O MUSIC
	O FOOD	O MEDICATION	O OTHER

TIME I WOKE UP		TOTAL SLEEP TIME	

MY SLEEP RATING	O [1] O [2] O [3] O [4] O [5] O [6] O [7] O [8] O [9] O [10]

DID I SLEEP BETTER THAN THE NIGHT BEFORE?	O YES O NO

SLEEP JOURNAL

ATE:		DAY:	O MON	O TUE	O WED	O THU	O FRI	O SAT	O SUN

EVENING ASSESSMENT

QUANTITY OF WATER CONSUMED		TOTAL EXERCISE TIME	
QUANTITY OF CAFFEINE / ALCOHOL		QUANTITY OF NICOTINE	

FOOD CONSUMED AFTER 6 P.M.	NAPS TAKE AND TIMES
	1
	2
	3

MEDICATIONS TAKEN	TIME	DOSAGE	TIMES

ACTIVITIES DONE TODAY	HOW DID I FEEL TODAY

MORNING ASSESSMENT

TIME I WENT TO BED		TIME I FELL ASLEEP	
NUMBER OF TIMES I WOKE UP		DURATION OF TIME AWAKE	

WHAT I WAS DOING BEFORE I FEEL ASLEEP	

WHAT WOKE ME UP	O TOILET	O TOO COLD	O BAD DREAM
	O ANXIETY	O UNCOMFORTABLE	O OTHER
WHAT HELPED ME FALL BACK ASLEEP	O EXERCISE	O BOOK	O MUSIC
	O FOOD	O MEDICATION	O OTHER

ME I WOKE UP		TOTAL SLEEP TIME	

Y SLEEP RATING	O [1] O [2] O [3] O [4] O [5] O [6] O [7] O [8] O [9] O [10]

ID I SLEEP BETTER THAN THE NIGHT BEFORE?	O YES O NO

SLEEP JOURNAL

DATE:		DAY:	O MON	O TUE	O WED	O THU	O FRI	O SAT	O SUN

EVENING ASSESSMENT

QUANTITY OF WATER CONSUMED		TOTAL EXERCISE TIME	
QUANTITY OF CAFFEINE / ALCOHOL		QUANTITY OF NICOTINE	

FOOD CONSUMED AFTER 6 P.M.	NAPS TAKE AND TIMES
	1
	2
	3

MEDICATIONS TAKEN	TIME	DOSAGE	TIMES

ACTIVITIES DONE TODAY	HOW DID I FEEL TODAY

MORNING ASSESSMENT

TIME I WENT TO BED		TIME I FELL ASLEEP	
NUMBER OF TIMES I WOKE UP		DURATION OF TIME AWAKE	

WHAT I WAS DOING BEFORE I FEEL ASLEEP	

WHAT WOKE ME UP	O TOILET	O TOO COLD	O BAD DREAM
	O ANXIETY	O UNCOMFORTABLE	O OTHER
WHAT HELPED ME FALL BACK ASLEEP	O EXERCISE	O BOOK	O MUSIC
	O FOOD	O MEDICATION	O OTHER

TIME I WOKE UP		TOTAL SLEEP TIME	

MY SLEEP RATING	O [1] O [2] O [3] O [4] O [5] O [6] O [7] O [8] O [9] O [10]

DID I SLEEP BETTER THAN THE NIGHT BEFORE?	O YES O NO

SLEEP JOURNAL

ATE:		DAY:	O MON	O TUE	O WED	O THU	O FRI	O SAT	O SUN

EVENING ASSESSMENT

QUANTITY OF WATER CONSUMED		TOTAL EXERCISE TIME	
QUANTITY OF CAFFEINE / ALCOHOL		QUANTITY OF NICOTINE	

FOOD CONSUMED AFTER 6 P.M.	NAPS TAKE AND TIMES	
		1
		2
		3

MEDICATIONS TAKEN	TIME	DOSAGE	TIMES

ACTIVITIES DONE TODAY	HOW DID I FEEL TODAY

MORNING ASSESSMENT

TIME I WENT TO BED		TIME I FELL ASLEEP	
NUMBER OF TIMES I WOKE UP		DURATION OF TIME AWAKE	

WHAT I WAS DOING BEFORE I FEEL ASLEEP	

WHAT WOKE ME UP	O TOILET	O TOO COLD	O BAD DREAM
	O ANXIETY	O UNCOMFORTABLE	O OTHER
WHAT HELPED ME FALL BACK ASLEEP	O EXERCISE	O BOOK	O MUSIC
	O FOOD	O MEDICATION	O OTHER

ME I WOKE UP		TOTAL SLEEP TIME	

Y SLEEP RATING	O [1] O [2] O [3] O [4] O [5] O [6] O [7] O [8] O [9] O [10]

D I SLEEP BETTER THAN THE NIGHT BEFORE?	O YES O NO

SLEEP JOURNAL

DATE:		DAY:	O MON	O TUE	O WED	O THU	O FRI	O SAT	O SU

EVENING ASSESSMENT

QUANTITY OF WATER CONSUMED		TOTAL EXERCISE TIME	
QUANTITY OF CAFFEINE / ALCOHOL		QUANTITY OF NICOTINE	

FOOD CONSUMED AFTER 6 P.M.	NAPS TAKE AND TIMES
	1
	2
	3

MEDICATIONS TAKEN	TIME	DOSAGE	TIMES

ACTIVITIES DONE TODAY	HOW DID I FEEL TODAY

MORNING ASSESSMENT

TIME I WENT TO BED		TIME I FELL ASLEEP	
NUMBER OF TIMES I WOKE UP		DURATION OF TIME AWAKE	

WHAT I WAS DOING BEFORE I FEEL ASLEEP	

WHAT WOKE ME UP	O TOILET	O TOO COLD	O BAD DREAM
	O ANXIETY	O UNCOMFORTABLE	O OTHER
WHAT HELPED ME FALL BACK ASLEEP	O EXERCISE	O BOOK	O MUSIC
	O FOOD	O MEDICATION	O OTHER

TIME I WOKE UP		TOTAL SLEEP TIME	

MY SLEEP RATING	O [1] O [2] O [3] O [4] O [5] O [6] O [7] O [8] O [9] O [10]

DID I SLEEP BETTER THAN THE NIGHT BEFORE?	O YES O NO

SLEEP JOURNAL

ATE:		DAY:	O MON	O TUE	O WED	O THU	O FRI	O SAT	O SUN

EVENING ASSESSMENT

QUANTITY OF WATER CONSUMED		TOTAL EXERCISE TIME	
QUANTITY OF CAFFEINE / ALCOHOL		QUANTITY OF NICOTINE	

FOOD CONSUMED AFTER 6 P.M.	NAPS TAKE AND TIMES
	1
	2
	3

MEDICATIONS TAKEN	TIME	DOSAGE	TIMES

ACTIVITIES DONE TODAY	HOW DID I FEEL TODAY

MORNING ASSESSMENT

TIME I WENT TO BED		TIME I FELL ASLEEP	
NUMBER OF TIMES I WOKE UP		DURATION OF TIME AWAKE	

WHAT I WAS DOING BEFORE I FEEL ASLEEP	

WHAT WOKE ME UP	O TOILET	O TOO COLD	O BAD DREAM
	O ANXIETY	O UNCOMFORTABLE	O OTHER

WHAT HELPED ME FALL BACK ASLEEP	O EXERCISE	O BOOK	O MUSIC
	O FOOD	O MEDICATION	O OTHER

ME I WOKE UP		TOTAL SLEEP TIME	

Y SLEEP RATING	O [1] O [2] O [3] O [4] O [5] O [6] O [7] O [8] O [9] O [10]

D I SLEEP BETTER THAN THE NIGHT BEFORE?	O YES O NO

SLEEP JOURNAL

DATE:		DAY:	O MON	O TUE	O WED	O THU	O FRI	O SAT	O SUN

EVENING ASSESSMENT

QUANTITY OF WATER CONSUMED		TOTAL EXERCISE TIME	
QUANTITY OF CAFFEINE / ALCOHOL		QUANTITY OF NICOTINE	

FOOD CONSUMED AFTER 6 P.M.	NAPS TAKE AND TIMES
	1
	2
	3

MEDICATIONS TAKEN	TIME	DOSAGE	TIMES

ACTIVITIES DONE TODAY	HOW DID I FEEL TODAY

MORNING ASSESSMENT

TIME I WENT TO BED		TIME I FELL ASLEEP	
NUMBER OF TIMES I WOKE UP		DURATION OF TIME AWAKE	

WHAT I WAS DOING BEFORE I FEEL ASLEEP	

WHAT WOKE ME UP	O TOILET	O TOO COLD	O BAD DREAM
	O ANXIETY	O UNCOMFORTABLE	O OTHER

WHAT HELPED ME FALL BACK ASLEEP	O EXERCISE	O BOOK	O MUSIC
	O FOOD	O MEDICATION	O OTHER

TIME I WOKE UP		TOTAL SLEEP TIME	

MY SLEEP RATING	O [1] O [2] O [3] O [4] O [5] O [6] O [7] O [8] O [9] O [10]

DID I SLEEP BETTER THAN THE NIGHT BEFORE?	O YES O NO

SLEEP JOURNAL

ATE:	DAY:	O MON	O TUE	O WED	O THU	O FRI	O SAT	O SUN

EVENING ASSESSMENT

QUANTITY OF WATER CONSUMED		TOTAL EXERCISE TIME	
QUANTITY OF CAFFEINE / ALCOHOL		QUANTITY OF NICOTINE	

FOOD CONSUMED AFTER 6 P.M.	NAPS TAKE AND TIMES
	1
	2
	3

MEDICATIONS TAKEN	TIME	DOSAGE	TIMES

ACTIVITIES DONE TODAY	HOW DID I FEEL TODAY

MORNING ASSESSMENT

TIME I WENT TO BED		TIME I FELL ASLEEP	
NUMBER OF TIMES I WOKE UP		DURATION OF TIME AWAKE	

WHAT I WAS DOING BEFORE I FEEL ASLEEP	

WHAT WOKE ME UP	O TOILET	O TOO COLD	O BAD DREAM
	O ANXIETY	O UNCOMFORTABLE	O OTHER

WHAT HELPED ME FALL BACK ASLEEP	O EXERCISE	O BOOK	O MUSIC
	O FOOD	O MEDICATION	O OTHER

ME I WOKE UP		TOTAL SLEEP TIME	

Y SLEEP RATING	O [1] O [2] O [3] O [4] O [5] O [6] O [7] O [8] O [9] O [10]

D I SLEEP BETTER THAN THE NIGHT BEFORE?	O YES O NO

SLEEP JOURNAL

DATE:		DAY:	O MON	O TUE	O WED	O THU	O FRI	O SAT	O SUI

EVENING ASSESSMENT

QUANTITY OF WATER CONSUMED		TOTAL EXERCISE TIME	
QUANTITY OF CAFFEINE / ALCOHOL		QUANTITY OF NICOTINE	

FOOD CONSUMED AFTER 6 P.M.		NAPS TAKE AND TIMES	
		1	
		2	
		3	

MEDICATIONS TAKEN	TIME	DOSAGE	TIMES

ACTIVITIES DONE TODAY	HOW DID I FEEL TODAY

MORNING ASSESSMENT

TIME I WENT TO BED		TIME I FELL ASLEEP	
NUMBER OF TIMES I WOKE UP		DURATION OF TIME AWAKE	

WHAT I WAS DOING BEFORE I FEEL ASLEEP	

WHAT WOKE ME UP	O TOILET	O TOO COLD	O BAD DREAM
	O ANXIETY	O UNCOMFORTABLE	O OTHER
WHAT HELPED ME FALL BACK ASLEEP	O EXERCISE	O BOOK	O MUSIC
	O FOOD	O MEDICATION	O OTHER

TIME I WOKE UP		TOTAL SLEEP TIME	

MY SLEEP RATING	O [1] O [2] O [3] O [4] O [5] O [6] O [7] O [8] O [9] O [10]

DID I SLEEP BETTER THAN THE NIGHT BEFORE?	O YES O NO

SLEEP JOURNAL

TE:		DAY:	O MON	O TUE	O WED	O THU	O FRI	O SAT	O SUN

EVENING ASSESSMENT

QUANTITY OF WATER CONSUMED		TOTAL EXERCISE TIME	
QUANTITY OF CAFFEINE / ALCOHOL		QUANTITY OF NICOTINE	

FOOD CONSUMED AFTER 6 P.M.	NAPS TAKE AND TIMES
	1
	2
	3

MEDICATIONS TAKEN	TIME	DOSAGE	TIMES

ACTIVITIES DONE TODAY	HOW DID I FEEL TODAY

MORNING ASSESSMENT

TIME I WENT TO BED		TIME I FELL ASLEEP	
NUMBER OF TIMES I WOKE UP		DURATION OF TIME AWAKE	

WHAT I WAS DOING BEFORE I FEEL ASLEEP	

WHAT WOKE ME UP	O TOILET	O TOO COLD	O BAD DREAM
	O ANXIETY	O UNCOMFORTABLE	O OTHER
WHAT HELPED ME FALL BACK ASLEEP	O EXERCISE	O BOOK	O MUSIC
	O FOOD	O MEDICATION	O OTHER

ME I WOKE UP		TOTAL SLEEP TIME	

Y SLEEP RATING	O [1] O [2] O [3] O [4] O [5] O [6] O [7] O [8] O [9] O [10]

D I SLEEP BETTER THAN THE NIGHT BEFORE?	O YES O NO

SLEEP JOURNAL

DATE:		DAY:	O MON	O TUE	O WED	O THU	O FRI	O SAT	O SU

EVENING ASSESSMENT

QUANTITY OF WATER CONSUMED		TOTAL EXERCISE TIME	
QUANTITY OF CAFFEINE / ALCOHOL		QUANTITY OF NICOTINE	

FOOD CONSUMED AFTER 6 P.M.	NAPS TAKE AND TIMES
	1
	2
	3

MEDICATIONS TAKEN	TIME	DOSAGE	TIMES

ACTIVITIES DONE TODAY	HOW DID I FEEL TODAY

MORNING ASSESSMENT

TIME I WENT TO BED		TIME I FELL ASLEEP	
NUMBER OF TIMES I WOKE UP		DURATION OF TIME AWAKE	

WHAT I WAS DOING BEFORE I FEEL ASLEEP	

WHAT WOKE ME UP	O TOILET	O TOO COLD	O BAD DREAM
	O ANXIETY	O UNCOMFORTABLE	O OTHER
WHAT HELPED ME FALL BACK ASLEEP	O EXERCISE	O BOOK	O MUSIC
	O FOOD	O MEDICATION	O OTHER

TIME I WOKE UP		TOTAL SLEEP TIME	

MY SLEEP RATING	O [1] O [2] O [3] O [4] O [5] O [6] O [7] O [8] O [9] O [10]

DID I SLEEP BETTER THAN THE NIGHT BEFORE?	O YES O NO

SLEEP JOURNAL

ATE:		DAY:	O MON	O TUE	O WED	O THU	O FRI	O SAT	O SUN

EVENING ASSESSMENT

QUANTITY OF WATER CONSUMED		TOTAL EXERCISE TIME	
QUANTITY OF CAFFEINE / ALCOHOL		QUANTITY OF NICOTINE	

FOOD CONSUMED AFTER 6 P.M.	NAPS TAKE AND TIMES	
	1	
	2	
	3	

MEDICATIONS TAKEN	TIME	DOSAGE	TIMES

ACTIVITIES DONE TODAY	HOW DID I FEEL TODAY

MORNING ASSESSMENT

TIME I WENT TO BED		TIME I FELL ASLEEP	
NUMBER OF TIMES I WOKE UP		DURATION OF TIME AWAKE	

WHAT I WAS DOING BEFORE I FEEL ASLEEP			
WHAT WOKE ME UP	O TOILET	O TOO COLD	O BAD DREAM
	O ANXIETY	O UNCOMFORTABLE	O OTHER
WHAT HELPED ME FALL BACK ASLEEP	O EXERCISE	O BOOK	O MUSIC
	O FOOD	O MEDICATION	O OTHER

ME I WOKE UP		TOTAL SLEEP TIME	

Y SLEEP RATING	O [1] O [2] O [3] O [4] O [5] O [6] O [7] O [8] O [9] O [10]

D I SLEEP BETTER THAN THE NIGHT BEFORE?	O YES O NO

SLEEP JOURNAL

DATE:		DAY:	O MON	O TUE	O WED	O THU	O FRI	O SAT	O SUN

EVENING ASSESSMENT

QUANTITY OF WATER CONSUMED		TOTAL EXERCISE TIME	
QUANTITY OF CAFFEINE / ALCOHOL		QUANTITY OF NICOTINE	

FOOD CONSUMED AFTER 6 P.M.	NAPS TAKE AND TIMES
	1
	2
	3

MEDICATIONS TAKEN	TIME	DOSAGE	TIMES

ACTIVITIES DONE TODAY	HOW DID I FEEL TODAY

MORNING ASSESSMENT

TIME I WENT TO BED		TIME I FELL ASLEEP	
NUMBER OF TIMES I WOKE UP		DURATION OF TIME AWAKE	

WHAT I WAS DOING BEFORE I FEEL ASLEEP	

WHAT WOKE ME UP	O TOILET	O TOO COLD	O BAD DREAM
	O ANXIETY	O UNCOMFORTABLE	O OTHER
WHAT HELPED ME FALL BACK ASLEEP	O EXERCISE	O BOOK	O MUSIC
	O FOOD	O MEDICATION	O OTHER

TIME I WOKE UP		TOTAL SLEEP TIME	

MY SLEEP RATING	O [1] O [2] O [3] O [4] O [5] O [6] O [7] O [8] O [9] O [10]

DID I SLEEP BETTER THAN THE NIGHT BEFORE?	O YES O NO

SLEEP JOURNAL

ATE:		DAY:	O MON	O TUE	O WED	O THU	O FRI	O SAT	O SUN

EVENING ASSESSMENT

QUANTITY OF WATER CONSUMED		TOTAL EXERCISE TIME	
QUANTITY OF CAFFEINE / ALCOHOL		QUANTITY OF NICOTINE	

FOOD CONSUMED AFTER 6 P.M.	NAPS TAKE AND TIMES	
		1
		2
		3

MEDICATIONS TAKEN	TIME	DOSAGE	TIMES

ACTIVITIES DONE TODAY	HOW DID I FEEL TODAY

MORNING ASSESSMENT

TIME I WENT TO BED		TIME I FELL ASLEEP	
NUMBER OF TIMES I WOKE UP		DURATION OF TIME AWAKE	

WHAT I WAS DOING BEFORE I FEEL ASLEEP	

WHAT WOKE ME UP	O TOILET	O TOO COLD	O BAD DREAM
	O ANXIETY	O UNCOMFORTABLE	O OTHER

WHAT HELPED ME FALL BACK ASLEEP	O EXERCISE	O BOOK	O MUSIC
	O FOOD	O MEDICATION	O OTHER

ME I WOKE UP		TOTAL SLEEP TIME	

Y SLEEP RATING	O [1] O [2] O [3] O [4] O [5] O [6] O [7] O [8] O [9] O [10]

D I SLEEP BETTER THAN THE NIGHT BEFORE?	O YES O NO

SLEEP JOURNAL

DATE:		DAY:	O MON	O TUE	O WED	O THU	O FRI	O SAT	O SU

EVENING ASSESSMENT

QUANTITY OF WATER CONSUMED		TOTAL EXERCISE TIME	
QUANTITY OF CAFFEINE / ALCOHOL		QUANTITY OF NICOTINE	

FOOD CONSUMED AFTER 6 P.M.	NAPS TAKE AND TIMES
	1
	2
	3

MEDICATIONS TAKEN	TIME	DOSAGE	TIMES

ACTIVITIES DONE TODAY	HOW DID I FEEL TODAY

MORNING ASSESSMENT

TIME I WENT TO BED		TIME I FELL ASLEEP	
NUMBER OF TIMES I WOKE UP		DURATION OF TIME AWAKE	

WHAT I WAS DOING BEFORE I FEEL ASLEEP	

WHAT WOKE ME UP	O TOILET	O TOO COLD	O BAD DREAM
	O ANXIETY	O UNCOMFORTABLE	O OTHER
WHAT HELPED ME FALL BACK ASLEEP	O EXERCISE	O BOOK	O MUSIC
	O FOOD	O MEDICATION	O OTHER

TIME I WOKE UP		TOTAL SLEEP TIME	

MY SLEEP RATING	O [1] O [2] O [3] O [4] O [5] O [6] O [7] O [8] O [9] O [10]

DID I SLEEP BETTER THAN THE NIGHT BEFORE?	O YES O NO

SLEEP JOURNAL

ATE:		DAY:	O MON	O TUE	O WED	O THU	O FRI	O SAT	O SUN

EVENING ASSESSMENT

QUANTITY OF WATER CONSUMED		TOTAL EXERCISE TIME	
QUANTITY OF CAFFEINE / ALCOHOL		QUANTITY OF NICOTINE	

FOOD CONSUMED AFTER 6 P.M.	NAPS TAKE AND TIMES	
		1
		2
		3

MEDICATIONS TAKEN	TIME	DOSAGE	TIMES

ACTIVITIES DONE TODAY	HOW DID I FEEL TODAY

MORNING ASSESSMENT

TIME I WENT TO BED		TIME I FELL ASLEEP	
NUMBER OF TIMES I WOKE UP		DURATION OF TIME AWAKE	

WHAT I WAS DOING BEFORE I FEEL ASLEEP	

WHAT WOKE ME UP	O TOILET	O TOO COLD	O BAD DREAM
	O ANXIETY	O UNCOMFORTABLE	O OTHER
WHAT HELPED ME FALL BACK ASLEEP	O EXERCISE	O BOOK	O MUSIC
	O FOOD	O MEDICATION	O OTHER

ME I WOKE UP		TOTAL SLEEP TIME	

SLEEP RATING	O [1] O [2] O [3] O [4] O [5] O [6] O [7] O [8] O [9] O [10]

D I SLEEP BETTER THAN THE NIGHT BEFORE?	O YES O NO

SLEEP JOURNAL

DATE:		DAY:	O MON	O TUE	O WED	O THU	O FRI	O SAT	O SU

EVENING ASSESSMENT

QUANTITY OF WATER CONSUMED		TOTAL EXERCISE TIME	
QUANTITY OF CAFFEINE / ALCOHOL		QUANTITY OF NICOTINE	

FOOD CONSUMED AFTER 6 P.M.	NAPS TAKE AND TIMES
	1
	2
	3

MEDICATIONS TAKEN	TIME	DOSAGE	TIMES

ACTIVITIES DONE TODAY	HOW DID I FEEL TODAY

MORNING ASSESSMENT

TIME I WENT TO BED		TIME I FELL ASLEEP	
NUMBER OF TIMES I WOKE UP		DURATION OF TIME AWAKE	

WHAT I WAS DOING BEFORE I FEEL ASLEEP	

WHAT WOKE ME UP	O TOILET	O TOO COLD	O BAD DREAM
	O ANXIETY	O UNCOMFORTABLE	O OTHER

WHAT HELPED ME FALL BACK ASLEEP	O EXERCISE	O BOOK	O MUSIC
	O FOOD	O MEDICATION	O OTHER

TIME I WOKE UP		TOTAL SLEEP TIME	

MY SLEEP RATING	O [1] O [2] O [3] O [4] O [5] O [6] O [7] O [8] O [9] O [10]

DID I SLEEP BETTER THAN THE NIGHT BEFORE?	O YES O NO

SLEEP JOURNAL

DATE:		DAY:	O MON	O TUE	O WED	O THU	O FRI	O SAT	O SUN

EVENING ASSESSMENT

QUANTITY OF WATER CONSUMED		TOTAL EXERCISE TIME	
QUANTITY OF CAFFEINE / ALCOHOL		QUANTITY OF NICOTINE	

FOOD CONSUMED AFTER 6 P.M.	NAPS TAKE AND TIMES
	1
	2
	3

MEDICATIONS TAKEN	TIME	DOSAGE	TIMES

ACTIVITIES DONE TODAY	HOW DID I FEEL TODAY

MORNING ASSESSMENT

TIME I WENT TO BED		TIME I FELL ASLEEP	
NUMBER OF TIMES I WOKE UP		DURATION OF TIME AWAKE	

WHAT I WAS DOING BEFORE I FEEL ASLEEP	

WHAT WOKE ME UP	O TOILET	O TOO COLD	O BAD DREAM
	O ANXIETY	O UNCOMFORTABLE	O OTHER
WHAT HELPED ME FALL BACK ASLEEP	O EXERCISE	O BOOK	O MUSIC
	O FOOD	O MEDICATION	O OTHER

ME I WOKE UP		TOTAL SLEEP TIME	

Y SLEEP RATING	O [1] O [2] O [3] O [4] O [5] O [6] O [7] O [8] O [9] O [10]

D I SLEEP BETTER THAN THE NIGHT BEFORE?	O YES O NO

SLEEP JOURNAL

DATE:		DAY:	O MON	O TUE	O WED	O THU	O FRI	O SAT	O SU

EVENING ASSESSMENT

QUANTITY OF WATER CONSUMED		TOTAL EXERCISE TIME	
QUANTITY OF CAFFEINE / ALCOHOL		QUANTITY OF NICOTINE	

FOOD CONSUMED AFTER 6 P.M.	NAPS TAKE AND TIMES
	1
	2
	3

MEDICATIONS TAKEN	TIME	DOSAGE	TIMES

ACTIVITIES DONE TODAY	HOW DID I FEEL TODAY

MORNING ASSESSMENT

TIME I WENT TO BED		TIME I FELL ASLEEP	
NUMBER OF TIMES I WOKE UP		DURATION OF TIME AWAKE	

WHAT I WAS DOING BEFORE I FEEL ASLEEP	

WHAT WOKE ME UP	O TOILET	O TOO COLD	O BAD DREAM
	O ANXIETY	O UNCOMFORTABLE	O OTHER
WHAT HELPED ME FALL BACK ASLEEP	O EXERCISE	O BOOK	O MUSIC
	O FOOD	O MEDICATION	O OTHER

TIME I WOKE UP		TOTAL SLEEP TIME	

MY SLEEP RATING	O [1] O [2] O [3] O [4] O [5] O [6] O [7] O [8] O [9] O [10]

DID I SLEEP BETTER THAN THE NIGHT BEFORE?	O YES O NO

SLEEP JOURNAL

ATE:		DAY:	O MON	O TUE	O WED	O THU	O FRI	O SAT	O SUN

EVENING ASSESSMENT

QUANTITY OF WATER CONSUMED		TOTAL EXERCISE TIME	
QUANTITY OF CAFFEINE / ALCOHOL		QUANTITY OF NICOTINE	

FOOD CONSUMED AFTER 6 P.M.	NAPS TAKE AND TIMES
	1
	2
	3

MEDICATIONS TAKEN	TIME	DOSAGE	TIMES

ACTIVITIES DONE TODAY	HOW DID I FEEL TODAY

MORNING ASSESSMENT

TIME I WENT TO BED		TIME I FELL ASLEEP	
NUMBER OF TIMES I WOKE UP		DURATION OF TIME AWAKE	

WHAT I WAS DOING BEFORE I FEEL ASLEEP	

WHAT WOKE ME UP	O TOILET	O TOO COLD	O BAD DREAM
	O ANXIETY	O UNCOMFORTABLE	O OTHER

WHAT HELPED ME FALL BACK ASLEEP	O EXERCISE	O BOOK	O MUSIC
	O FOOD	O MEDICATION	O OTHER

ME I WOKE UP		TOTAL SLEEP TIME	

SLEEP RATING	O [1] O [2] O [3] O [4] O [5] O [6] O [7] O [8] O [9] O [10]

D I SLEEP BETTER THAN THE NIGHT BEFORE?	O YES O NO

SLEEP JOURNAL

DATE:		DAY:	O MON	O TUE	O WED	O THU	O FRI	O SAT	O SU

EVENING ASSESSMENT

QUANTITY OF WATER CONSUMED		TOTAL EXERCISE TIME	
QUANTITY OF CAFFEINE / ALCOHOL		QUANTITY OF NICOTINE	

FOOD CONSUMED AFTER 6 P.M.	NAPS TAKE AND TIMES
	1
	2
	3

MEDICATIONS TAKEN	TIME	DOSAGE	TIMES

ACTIVITIES DONE TODAY	HOW DID I FEEL TODAY

MORNING ASSESSMENT

TIME I WENT TO BED		TIME I FELL ASLEEP	
NUMBER OF TIMES I WOKE UP		DURATION OF TIME AWAKE	

WHAT I WAS DOING BEFORE I FEEL ASLEEP	

WHAT WOKE ME UP	O TOILET	O TOO COLD	O BAD DREAM
	O ANXIETY	O UNCOMFORTABLE	O OTHER
WHAT HELPED ME FALL BACK ASLEEP	O EXERCISE	O BOOK	O MUSIC
	O FOOD	O MEDICATION	O OTHER

TIME I WOKE UP		TOTAL SLEEP TIME	

MY SLEEP RATING	O [1] O [2] O [3] O [4] O [5] O [6] O [7] O [8] O [9] O [10]

DID I SLEEP BETTER THAN THE NIGHT BEFORE?	O YES O NO

SLEEP JOURNAL

ATE:		DAY:	O MON	O TUE	O WED	O THU	O FRI	O SAT	O SUN

EVENING ASSESSMENT

QUANTITY OF WATER CONSUMED		TOTAL EXERCISE TIME	
QUANTITY OF CAFFEINE / ALCOHOL		QUANTITY OF NICOTINE	

FOOD CONSUMED AFTER 6 P.M.	NAPS TAKE AND TIMES
	1
	2
	3

MEDICATIONS TAKEN	TIME	DOSAGE	TIMES

ACTIVITIES DONE TODAY	HOW DID I FEEL TODAY

MORNING ASSESSMENT

TIME I WENT TO BED		TIME I FELL ASLEEP	
NUMBER OF TIMES I WOKE UP		DURATION OF TIME AWAKE	

WHAT I WAS DOING BEFORE I FEEL ASLEEP	

WHAT WOKE ME UP	O TOILET	O TOO COLD	O BAD DREAM
	O ANXIETY	O UNCOMFORTABLE	O OTHER
WHAT HELPED ME FALL BACK ASLEEP	O EXERCISE	O BOOK	O MUSIC
	O FOOD	O MEDICATION	O OTHER

ME I WOKE UP		TOTAL SLEEP TIME	

SLEEP RATING	O [1] O [2] O [3] O [4] O [5] O [6] O [7] O [8] O [9] O [10]

I SLEEP BETTER THAN THE NIGHT BEFORE?	O YES O NO

SLEEP JOURNAL

DATE:		DAY:	O MON	O TUE	O WED	O THU	O FRI	O SAT	O SU

EVENING ASSESSMENT

QUANTITY OF WATER CONSUMED		TOTAL EXERCISE TIME	
QUANTITY OF CAFFEINE / ALCOHOL		QUANTITY OF NICOTINE	

FOOD CONSUMED AFTER 6 P.M.	NAPS TAKE AND TIMES
	1
	2
	3

MEDICATIONS TAKEN	TIME	DOSAGE	TIMES

ACTIVITIES DONE TODAY	HOW DID I FEEL TODAY

MORNING ASSESSMENT

TIME I WENT TO BED		TIME I FELL ASLEEP	
NUMBER OF TIMES I WOKE UP		DURATION OF TIME AWAKE	

WHAT I WAS DOING BEFORE I FEEL ASLEEP	

WHAT WOKE ME UP	O TOILET	O TOO COLD	O BAD DREAM
	O ANXIETY	O UNCOMFORTABLE	O OTHER
WHAT HELPED ME FALL BACK ASLEEP	O EXERCISE	O BOOK	O MUSIC
	O FOOD	O MEDICATION	O OTHER

TIME I WOKE UP		TOTAL SLEEP TIME	

MY SLEEP RATING	O [1] O [2] O [3] O [4] O [5] O [6] O [7] O [8] O [9] O [10]

DID I SLEEP BETTER THAN THE NIGHT BEFORE?	O YES O NO

SLEEP JOURNAL

TE:		DAY:	O MON	O TUE	O WED	O THU	O FRI	O SAT	O SUN

EVENING ASSESSMENT

QUANTITY OF WATER CONSUMED		TOTAL EXERCISE TIME	
QUANTITY OF CAFFEINE / ALCOHOL		QUANTITY OF NICOTINE	

FOOD CONSUMED AFTER 6 P.M.	NAPS TAKE AND TIMES	
		1
		2
		3

MEDICATIONS TAKEN	TIME	DOSAGE	TIMES

ACTIVITIES DONE TODAY	HOW DID I FEEL TODAY

MORNING ASSESSMENT

TIME I WENT TO BED		TIME I FELL ASLEEP	
NUMBER OF TIMES I WOKE UP		DURATION OF TIME AWAKE	

WHAT I WAS DOING BEFORE I FEEL ASLEEP		

WHAT WOKE ME UP	O TOILET	O TOO COLD	O BAD DREAM
	O ANXIETY	O UNCOMFORTABLE	O OTHER
WHAT HELPED ME FALL BACK ASLEEP	O EXERCISE	O BOOK	O MUSIC
	O FOOD	O MEDICATION	O OTHER

ME I WOKE UP		TOTAL SLEEP TIME	

SLEEP RATING	O [1] O [2] O [3] O [4] O [5] O [6] O [7] O [8] O [9] O [10]

D I SLEEP BETTER THAN THE NIGHT BEFORE?	O YES O NO

SLEEP JOURNAL

DATE:		DAY:	O MON	O TUE	O WED	O THU	O FRI	O SAT	O SU

EVENING ASSESSMENT

QUANTITY OF WATER CONSUMED		TOTAL EXERCISE TIME	
QUANTITY OF CAFFEINE / ALCOHOL		QUANTITY OF NICOTINE	

FOOD CONSUMED AFTER 6 P.M.	NAPS TAKE AND TIMES
	1
	2
	3

MEDICATIONS TAKEN	TIME	DOSAGE	TIMES

ACTIVITIES DONE TODAY	HOW DID I FEEL TODAY

MORNING ASSESSMENT

TIME I WENT TO BED		TIME I FELL ASLEEP	
NUMBER OF TIMES I WOKE UP		DURATION OF TIME AWAKE	

WHAT I WAS DOING BEFORE I FEEL ASLEEP	

WHAT WOKE ME UP	O TOILET	O TOO COLD	O BAD DREAM
	O ANXIETY	O UNCOMFORTABLE	O OTHER
WHAT HELPED ME FALL BACK ASLEEP	O EXERCISE	O BOOK	O MUSIC
	O FOOD	O MEDICATION	O OTHER

TIME I WOKE UP		TOTAL SLEEP TIME	

MY SLEEP RATING	O [1] O [2] O [3] O [4] O [5] O [6] O [7] O [8] O [9] O [10]

DID I SLEEP BETTER THAN THE NIGHT BEFORE?	O YES O NO

SLEEP JOURNAL

ATE:		DAY:	O MON	O TUE	O WED	O THU	O FRI	O SAT	O SUN

EVENING ASSESSMENT

QUANTITY OF WATER CONSUMED		TOTAL EXERCISE TIME	
QUANTITY OF CAFFEINE / ALCOHOL		QUANTITY OF NICOTINE	

FOOD CONSUMED AFTER 6 P.M.	NAPS TAKE AND TIMES
	1
	2
	3

MEDICATIONS TAKEN	TIME	DOSAGE	TIMES

ACTIVITIES DONE TODAY	HOW DID I FEEL TODAY

MORNING ASSESSMENT

TIME I WENT TO BED		TIME I FELL ASLEEP	
NUMBER OF TIMES I WOKE UP		DURATION OF TIME AWAKE	

WHAT I WAS DOING BEFORE I FEEL ASLEEP			
WHAT WOKE ME UP	O TOILET	O TOO COLD	O BAD DREAM
	O ANXIETY	O UNCOMFORTABLE	O OTHER
WHAT HELPED ME FALL BACK ASLEEP	O EXERCISE	O BOOK	O MUSIC
	O FOOD	O MEDICATION	O OTHER

ME I WOKE UP		TOTAL SLEEP TIME	

Y SLEEP RATING	O [1] O [2] O [3] O [4] O [5] O [6] O [7] O [8] O [9] O [10]

I SLEEP BETTER THAN THE NIGHT BEFORE?	O YES O NO

SLEEP JOURNAL

DATE:		DAY:	O MON	O TUE	O WED	O THU	O FRI	O SAT	O SU

EVENING ASSESSMENT

QUANTITY OF WATER CONSUMED		TOTAL EXERCISE TIME	
QUANTITY OF CAFFEINE / ALCOHOL		QUANTITY OF NICOTINE	

FOOD CONSUMED AFTER 6 P.M.	NAPS TAKE AND TIMES
	1
	2
	3

MEDICATIONS TAKEN	TIME	DOSAGE	TIMES

ACTIVITIES DONE TODAY	HOW DID I FEEL TODAY

MORNING ASSESSMENT

TIME I WENT TO BED		TIME I FELL ASLEEP	
NUMBER OF TIMES I WOKE UP		DURATION OF TIME AWAKE	

WHAT I WAS DOING BEFORE I FEEL ASLEEP	

WHAT WOKE ME UP	O TOILET	O TOO COLD	O BAD DREAM
	O ANXIETY	O UNCOMFORTABLE	O OTHER
WHAT HELPED ME FALL BACK ASLEEP	O EXERCISE	O BOOK	O MUSIC
	O FOOD	O MEDICATION	O OTHER

TIME I WOKE UP		TOTAL SLEEP TIME	

MY SLEEP RATING	O [1] O [2] O [3] O [4] O [5] O [6] O [7] O [8] O [9] O [10]

DID I SLEEP BETTER THAN THE NIGHT BEFORE?	O YES O NO

SLEEP JOURNAL

TE:		DAY:	O MON	O TUE	O WED	O THU	O FRI	O SAT	O SUN

EVENING ASSESSMENT

QUANTITY OF WATER CONSUMED		TOTAL EXERCISE TIME	
QUANTITY OF CAFFEINE / ALCOHOL		QUANTITY OF NICOTINE	

FOOD CONSUMED AFTER 6 P.M.	NAPS TAKE AND TIMES	
	1	
	2	
	3	

MEDICATIONS TAKEN	TIME	DOSAGE	TIMES

ACTIVITIES DONE TODAY	HOW DID I FEEL TODAY

MORNING ASSESSMENT

TIME I WENT TO BED		TIME I FELL ASLEEP	
NUMBER OF TIMES I WOKE UP		DURATION OF TIME AWAKE	

WHAT I WAS DOING BEFORE I FEEL ASLEEP	

WHAT WOKE ME UP	O TOILET	O TOO COLD	O BAD DREAM
	O ANXIETY	O UNCOMFORTABLE	O OTHER

WHAT HELPED ME FALL BACK ASLEEP	O EXERCISE	O BOOK	O MUSIC
	O FOOD	O MEDICATION	O OTHER

ME I WOKE UP		TOTAL SLEEP TIME	

SLEEP RATING	O [1] O [2] O [3] O [4] O [5] O [6] O [7] O [8] O [9] O [10]

D I SLEEP BETTER THAN THE NIGHT BEFORE?	O YES O NO

SLEEP JOURNAL

DATE:		DAY:	O MON	O TUE	O WED	O THU	O FRI	O SAT	O SU

EVENING ASSESSMENT

QUANTITY OF WATER CONSUMED		TOTAL EXERCISE TIME	
QUANTITY OF CAFFEINE / ALCOHOL		QUANTITY OF NICOTINE	

FOOD CONSUMED AFTER 6 P.M.	NAPS TAKE AND TIMES
	1
	2
	3

MEDICATIONS TAKEN	TIME	DOSAGE	TIMES

ACTIVITIES DONE TODAY	HOW DID I FEEL TODAY

MORNING ASSESSMENT

TIME I WENT TO BED		TIME I FELL ASLEEP	
NUMBER OF TIMES I WOKE UP		DURATION OF TIME AWAKE	

WHAT I WAS DOING BEFORE I FEEL ASLEEP	

WHAT WOKE ME UP	O TOILET	O TOO COLD	O BAD DREAM
	O ANXIETY	O UNCOMFORTABLE	O OTHER
WHAT HELPED ME FALL BACK ASLEEP	O EXERCISE	O BOOK	O MUSIC
	O FOOD	O MEDICATION	O OTHER

TIME I WOKE UP		TOTAL SLEEP TIME	

MY SLEEP RATING	O [1] O [2] O [3] O [4] O [5] O [6] O [7] O [8] O [9] O [10]

DID I SLEEP BETTER THAN THE NIGHT BEFORE?	O YES O NO

SLEEP JOURNAL

TE:		DAY:	O MON	O TUE	O WED	O THU	O FRI	O SAT	O SUN

EVENING ASSESSMENT

QUANTITY OF WATER CONSUMED		TOTAL EXERCISE TIME	
QUANTITY OF CAFFEINE / ALCOHOL		QUANTITY OF NICOTINE	

FOOD CONSUMED AFTER 6 P.M.	NAPS TAKE AND TIMES
	1
	2
	3

MEDICATIONS TAKEN	TIME	DOSAGE	TIMES

ACTIVITIES DONE TODAY	HOW DID I FEEL TODAY

MORNING ASSESSMENT

TIME I WENT TO BED		TIME I FELL ASLEEP	
NUMBER OF TIMES I WOKE UP		DURATION OF TIME AWAKE	

WHAT I WAS DOING BEFORE I FEEL ASLEEP	

WHAT WOKE ME UP	O TOILET	O TOO COLD	O BAD DREAM
	O ANXIETY	O UNCOMFORTABLE	O OTHER
WHAT HELPED ME FALL BACK ASLEEP	O EXERCISE	O BOOK	O MUSIC
	O FOOD	O MEDICATION	O OTHER

ME I WOKE UP		TOTAL SLEEP TIME	

SLEEP RATING	O [1] O [2] O [3] O [4] O [5] O [6] O [7] O [8] O [9] O [10]

I SLEEP BETTER THAN THE NIGHT BEFORE?	O YES O NO

SLEEP JOURNAL

DATE:		DAY:	O MON	O TUE	O WED	O THU	O FRI	O SAT	O SU

EVENING ASSESSMENT

QUANTITY OF WATER CONSUMED		TOTAL EXERCISE TIME	
QUANTITY OF CAFFEINE / ALCOHOL		QUANTITY OF NICOTINE	

FOOD CONSUMED AFTER 6 P.M.		NAPS TAKE AND TIMES	
		1	
		2	
		3	

MEDICATIONS TAKEN	TIME	DOSAGE	TIMES

ACTIVITIES DONE TODAY	HOW DID I FEEL TODAY

MORNING ASSESSMENT

TIME I WENT TO BED		TIME I FELL ASLEEP	
NUMBER OF TIMES I WOKE UP		DURATION OF TIME AWAKE	

WHAT I WAS DOING BEFORE I FEEL ASLEEP	

WHAT WOKE ME UP	O TOILET	O TOO COLD	O BAD DREAM
	O ANXIETY	O UNCOMFORTABLE	O OTHER
WHAT HELPED ME FALL BACK ASLEEP	O EXERCISE	O BOOK	O MUSIC
	O FOOD	O MEDICATION	O OTHER

TIME I WOKE UP		TOTAL SLEEP TIME	

MY SLEEP RATING	O [1] O [2] O [3] O [4] O [5] O [6] O [7] O [8] O [9] O [10]

DID I SLEEP BETTER THAN THE NIGHT BEFORE?	O YES O NO

SLEEP JOURNAL

TE:		DAY:	O MON	O TUE	O WED	O THU	O FRI	O SAT	O SUN

EVENING ASSESSMENT

QUANTITY OF WATER CONSUMED		TOTAL EXERCISE TIME	
QUANTITY OF CAFFEINE / ALCOHOL		QUANTITY OF NICOTINE	

FOOD CONSUMED AFTER 6 P.M.	NAPS TAKE AND TIMES
	1
	2
	3

MEDICATIONS TAKEN	TIME	DOSAGE	TIMES

ACTIVITIES DONE TODAY	HOW DID I FEEL TODAY

MORNING ASSESSMENT

TIME I WENT TO BED		TIME I FELL ASLEEP	
NUMBER OF TIMES I WOKE UP		DURATION OF TIME AWAKE	

WHAT I WAS DOING BEFORE I FEEL ASLEEP	

WHAT WOKE ME UP	O TOILET	O TOO COLD	O BAD DREAM
	O ANXIETY	O UNCOMFORTABLE	O OTHER
WHAT HELPED ME FALL BACK ASLEEP	O EXERCISE	O BOOK	O MUSIC
	O FOOD	O MEDICATION	O OTHER

ME I WOKE UP		TOTAL SLEEP TIME	

SLEEP RATING	O [1] O [2] O [3] O [4] O [5] O [6] O [7] O [8] O [9] O [10]

I SLEEP BETTER THAN THE NIGHT BEFORE?	O YES O NO

SLEEP JOURNAL

DATE:		DAY:	O MON	O TUE	O WED	O THU	O FRI	O SAT	O SU

EVENING ASSESSMENT

QUANTITY OF WATER CONSUMED		TOTAL EXERCISE TIME	
QUANTITY OF CAFFEINE / ALCOHOL		QUANTITY OF NICOTINE	

FOOD CONSUMED AFTER 6 P.M.	NAPS TAKE AND TIMES
	1
	2
	3

MEDICATIONS TAKEN	TIME	DOSAGE	TIMES

ACTIVITIES DONE TODAY	HOW DID I FEEL TODAY

MORNING ASSESSMENT

TIME I WENT TO BED		TIME I FELL ASLEEP	
NUMBER OF TIMES I WOKE UP		DURATION OF TIME AWAKE	

WHAT I WAS DOING BEFORE I FEEL ASLEEP	

WHAT WOKE ME UP	O TOILET	O TOO COLD	O BAD DREAM
	O ANXIETY	O UNCOMFORTABLE	O OTHER
WHAT HELPED ME FALL BACK ASLEEP	O EXERCISE	O BOOK	O MUSIC
	O FOOD	O MEDICATION	O OTHER

TIME I WOKE UP		TOTAL SLEEP TIME	

MY SLEEP RATING	O [1] O [2] O [3] O [4] O [5] O [6] O [7] O [8] O [9] O [10]

DID I SLEEP BETTER THAN THE NIGHT BEFORE?	O YES O NO

SLEEP JOURNAL

TE:		DAY:	O MON	O TUE	O WED	O THU	O FRI	O SAT	O SUN

EVENING ASSESSMENT

QUANTITY OF WATER CONSUMED		TOTAL EXERCISE TIME	
QUANTITY OF CAFFEINE / ALCOHOL		QUANTITY OF NICOTINE	

FOOD CONSUMED AFTER 6 P.M.	NAPS TAKE AND TIMES
	1
	2
	3

MEDICATIONS TAKEN	TIME	DOSAGE	TIMES

ACTIVITIES DONE TODAY	HOW DID I FEEL TODAY

MORNING ASSESSMENT

TIME I WENT TO BED		TIME I FELL ASLEEP	
NUMBER OF TIMES I WOKE UP		DURATION OF TIME AWAKE	

WHAT I WAS DOING BEFORE I FEEL ASLEEP	

WHAT WOKE ME UP	O TOILET	O TOO COLD	O BAD DREAM
	O ANXIETY	O UNCOMFORTABLE	O OTHER
WHAT HELPED ME FALL BACK ASLEEP	O EXERCISE	O BOOK	O MUSIC
	O FOOD	O MEDICATION	O OTHER

ME I WOKE UP		TOTAL SLEEP TIME	

SLEEP RATING	O [1] O [2] O [3] O [4] O [5] O [6] O [7] O [8] O [9] O [10]

I SLEEP BETTER THAN THE NIGHT BEFORE?	O YES O NO

SLEEP JOURNAL

DATE:		DAY:	O MON	O TUE	O WED	O THU	O FRI	O SAT	O SU

EVENING ASSESSMENT

QUANTITY OF WATER CONSUMED		TOTAL EXERCISE TIME	
QUANTITY OF CAFFEINE / ALCOHOL		QUANTITY OF NICOTINE	

FOOD CONSUMED AFTER 6 P.M.	NAPS TAKE AND TIMES
	1
	2
	3

MEDICATIONS TAKEN	TIME	DOSAGE	TIMES

ACTIVITIES DONE TODAY	HOW DID I FEEL TODAY

MORNING ASSESSMENT

TIME I WENT TO BED		TIME I FELL ASLEEP	
NUMBER OF TIMES I WOKE UP		DURATION OF TIME AWAKE	

WHAT I WAS DOING BEFORE I FEEL ASLEEP	

WHAT WOKE ME UP	O TOILET	O TOO COLD	O BAD DREAM
	O ANXIETY	O UNCOMFORTABLE	O OTHER
WHAT HELPED ME FALL BACK ASLEEP	O EXERCISE	O BOOK	O MUSIC
	O FOOD	O MEDICATION	O OTHER

TIME I WOKE UP		TOTAL SLEEP TIME	

MY SLEEP RATING	O [1] O [2] O [3] O [4] O [5] O [6] O [7] O [8] O [9] O [10]

DID I SLEEP BETTER THAN THE NIGHT BEFORE?	O YES O NO

SLEEP JOURNAL

TE:		DAY:	O MON	O TUE	O WED	O THU	O FRI	O SAT	O SUN

EVENING ASSESSMENT

QUANTITY OF WATER CONSUMED		TOTAL EXERCISE TIME	
QUANTITY OF CAFFEINE / ALCOHOL		QUANTITY OF NICOTINE	

FOOD CONSUMED AFTER 6 P.M.	NAPS TAKE AND TIMES
	1
	2
	3

MEDICATIONS TAKEN	TIME	DOSAGE	TIMES

ACTIVITIES DONE TODAY	HOW DID I FEEL TODAY

MORNING ASSESSMENT

TIME I WENT TO BED		TIME I FELL ASLEEP	
NUMBER OF TIMES I WOKE UP		DURATION OF TIME AWAKE	

WHAT I WAS DOING BEFORE I FEEL ASLEEP	

WHAT WOKE ME UP	O TOILET	O TOO COLD	O BAD DREAM
	O ANXIETY	O UNCOMFORTABLE	O OTHER
WHAT HELPED ME FALL BACK ASLEEP	O EXERCISE	O BOOK	O MUSIC
	O FOOD	O MEDICATION	O OTHER

ME I WOKE UP		TOTAL SLEEP TIME	

SLEEP RATING	O [1] O [2] O [3] O [4] O [5] O [6] O [7] O [8] O [9] O [10]

D I SLEEP BETTER THAN THE NIGHT BEFORE?	O YES O NO

SLEEP JOURNAL

DATE:		DAY:	O MON	O TUE	O WED	O THU	O FRI	O SAT	O SU

EVENING ASSESSMENT

QUANTITY OF WATER CONSUMED		TOTAL EXERCISE TIME	
QUANTITY OF CAFFEINE / ALCOHOL		QUANTITY OF NICOTINE	

FOOD CONSUMED AFTER 6 P.M.	NAPS TAKE AND TIMES
	1
	2
	3

MEDICATIONS TAKEN	TIME	DOSAGE	TIMES

ACTIVITIES DONE TODAY	HOW DID I FEEL TODAY

MORNING ASSESSMENT

TIME I WENT TO BED		TIME I FELL ASLEEP	
NUMBER OF TIMES I WOKE UP		DURATION OF TIME AWAKE	

WHAT I WAS DOING BEFORE I FEEL ASLEEP	

WHAT WOKE ME UP	O TOILET	O TOO COLD	O BAD DREAM
	O ANXIETY	O UNCOMFORTABLE	O OTHER
WHAT HELPED ME FALL BACK ASLEEP	O EXERCISE	O BOOK	O MUSIC
	O FOOD	O MEDICATION	O OTHER

TIME I WOKE UP		TOTAL SLEEP TIME	

MY SLEEP RATING	O [1] O [2] O [3] O [4] O [5] O [6] O [7] O [8] O [9] O [10]

DID I SLEEP BETTER THAN THE NIGHT BEFORE?	O YES O NO

SLEEP JOURNAL

TE:		DAY:	O MON	O TUE	O WED	O THU	O FRI	O SAT	O SUN

EVENING ASSESSMENT

QUANTITY OF WATER CONSUMED		TOTAL EXERCISE TIME	
QUANTITY OF CAFFEINE / ALCOHOL		QUANTITY OF NICOTINE	

FOOD CONSUMED AFTER 6 P.M.	NAPS TAKE AND TIMES
	1
	2
	3

MEDICATIONS TAKEN	TIME	DOSAGE	TIMES

ACTIVITIES DONE TODAY	HOW DID I FEEL TODAY

MORNING ASSESSMENT

TIME I WENT TO BED		TIME I FELL ASLEEP	
NUMBER OF TIMES I WOKE UP		DURATION OF TIME AWAKE	

WHAT I WAS DOING BEFORE I FEEL ASLEEP	

WHAT WOKE ME UP	O TOILET	O TOO COLD	O BAD DREAM
	O ANXIETY	O UNCOMFORTABLE	O OTHER
WHAT HELPED ME FALL BACK ASLEEP	O EXERCISE	O BOOK	O MUSIC
	O FOOD	O MEDICATION	O OTHER

ME I WOKE UP		TOTAL SLEEP TIME	

SLEEP RATING	O [1] O [2] O [3] O [4] O [5] O [6] O [7] O [8] O [9] O [10]

I SLEEP BETTER THAN THE NIGHT BEFORE?	O YES O NO

SLEEP JOURNAL

DATE:		DAY:	O MON	O TUE	O WED	O THU	O FRI	O SAT	O SU

EVENING ASSESSMENT

QUANTITY OF WATER CONSUMED		TOTAL EXERCISE TIME	
QUANTITY OF CAFFEINE / ALCOHOL		QUANTITY OF NICOTINE	

FOOD CONSUMED AFTER 6 P.M.	NAPS TAKE AND TIMES
	1
	2
	3

MEDICATIONS TAKEN	TIME	DOSAGE	TIMES

ACTIVITIES DONE TODAY	HOW DID I FEEL TODAY

MORNING ASSESSMENT

TIME I WENT TO BED		TIME I FELL ASLEEP	
NUMBER OF TIMES I WOKE UP		DURATION OF TIME AWAKE	

WHAT I WAS DOING BEFORE I FEEL ASLEEP			
WHAT WOKE ME UP	O TOILET	O TOO COLD	O BAD DREAM
	O ANXIETY	O UNCOMFORTABLE	O OTHER
WHAT HELPED ME FALL BACK ASLEEP	O EXERCISE	O BOOK	O MUSIC
	O FOOD	O MEDICATION	O OTHER
TIME I WOKE UP		TOTAL SLEEP TIME	

MY SLEEP RATING	O [1] O [2] O [3] O [4] O [5] O [6] O [7] O [8] O [9] O [10]

DID I SLEEP BETTER THAN THE NIGHT BEFORE?	O YES O NO

SLEEP JOURNAL

TE:		DAY:	O MON	O TUE	O WED	O THU	O FRI	O SAT	O SUN

EVENING ASSESSMENT

QUANTITY OF WATER CONSUMED		TOTAL EXERCISE TIME	
QUANTITY OF CAFFEINE / ALCOHOL		QUANTITY OF NICOTINE	

FOOD CONSUMED AFTER 6 P.M.	NAPS TAKE AND TIMES	
		1
		2
		3

MEDICATIONS TAKEN	TIME	DOSAGE	TIMES

ACTIVITIES DONE TODAY	HOW DID I FEEL TODAY

MORNING ASSESSMENT

TIME I WENT TO BED		TIME I FELL ASLEEP	
NUMBER OF TIMES I WOKE UP		DURATION OF TIME AWAKE	

WHAT I WAS DOING BEFORE I FEEL ASLEEP			
WHAT WOKE ME UP	O TOILET	O TOO COLD	O BAD DREAM
	O ANXIETY	O UNCOMFORTABLE	O OTHER
WHAT HELPED ME FALL BACK ASLEEP	O EXERCISE	O BOOK	O MUSIC
	O FOOD	O MEDICATION	O OTHER

ME I WOKE UP		TOTAL SLEEP TIME	

SLEEP RATING	O [1] O [2] O [3] O [4] O [5] O [6] O [7] O [8] O [9] O [10]

I SLEEP BETTER THAN THE NIGHT BEFORE?	O YES O NO

SLEEP JOURNAL

DATE:		DAY:	O MON	O TUE	O WED	O THU	O FRI	O SAT	O SU

EVENING ASSESSMENT

QUANTITY OF WATER CONSUMED		TOTAL EXERCISE TIME	
QUANTITY OF CAFFEINE / ALCOHOL		QUANTITY OF NICOTINE	

FOOD CONSUMED AFTER 6 P.M.		NAPS TAKE AND TIMES	
		1	
		2	
		3	

MEDICATIONS TAKEN	TIME	DOSAGE	TIMES

ACTIVITIES DONE TODAY	HOW DID I FEEL TODAY

MORNING ASSESSMENT

TIME I WENT TO BED		TIME I FELL ASLEEP		
NUMBER OF TIMES I WOKE UP		DURATION OF TIME AWAKE		
WHAT I WAS DOING BEFORE I FEEL ASLEEP				
WHAT WOKE ME UP	O TOILET	O TOO COLD	O BAD DREAM	
	O ANXIETY	O UNCOMFORTABLE	O OTHER	
WHAT HELPED ME FALL BACK ASLEEP	O EXERCISE	O BOOK	O MUSIC	
	O FOOD	O MEDICATION	O OTHER	
TIME I WOKE UP		TOTAL SLEEP TIME		
MY SLEEP RATING	O [1] O [2] O [3] O [4] O [5] O [6] O [7] O [8] O [9] O [10]			

DID I SLEEP BETTER THAN THE NIGHT BEFORE?	O YES O NO

SLEEP JOURNAL

TE:		DAY:	O MON	O TUE	O WED	O THU	O FRI	O SAT	O SUN

EVENING ASSESSMENT

QUANTITY OF WATER CONSUMED		TOTAL EXERCISE TIME	
QUANTITY OF CAFFEINE / ALCOHOL		QUANTITY OF NICOTINE	

FOOD CONSUMED AFTER 6 P.M.	NAPS TAKE AND TIMES
	1
	2
	3

MEDICATIONS TAKEN	TIME	DOSAGE	TIMES

ACTIVITIES DONE TODAY	HOW DID I FEEL TODAY

MORNING ASSESSMENT

TIME I WENT TO BED		TIME I FELL ASLEEP	
NUMBER OF TIMES I WOKE UP		DURATION OF TIME AWAKE	

WHAT I WAS DOING BEFORE I FEEL ASLEEP	

WHAT WOKE ME UP	O TOILET	O TOO COLD	O BAD DREAM
	O ANXIETY	O UNCOMFORTABLE	O OTHER
WHAT HELPED ME FALL BACK ASLEEP	O EXERCISE	O BOOK	O MUSIC
	O FOOD	O MEDICATION	O OTHER

ME I WOKE UP		TOTAL SLEEP TIME	

SLEEP RATING	O [1] O [2] O [3] O [4] O [5] O [6] O [7] O [8] O [9] O [10]

I SLEEP BETTER THAN THE NIGHT BEFORE?	O YES O NO

SLEEP JOURNAL

DATE:		DAY:	O MON	O TUE	O WED	O THU	O FRI	O SAT	O SU

EVENING ASSESSMENT

QUANTITY OF WATER CONSUMED		TOTAL EXERCISE TIME	
QUANTITY OF CAFFEINE / ALCOHOL		QUANTITY OF NICOTINE	

FOOD CONSUMED AFTER 6 P.M.	NAPS TAKE AND TIMES
	1
	2
	3

MEDICATIONS TAKEN	TIME	DOSAGE	TIMES

ACTIVITIES DONE TODAY	HOW DID I FEEL TODAY

MORNING ASSESSMENT

TIME I WENT TO BED		TIME I FELL ASLEEP	
NUMBER OF TIMES I WOKE UP		DURATION OF TIME AWAKE	

WHAT I WAS DOING BEFORE I FEEL ASLEEP	

WHAT WOKE ME UP	O TOILET	O TOO COLD	O BAD DREAM
	O ANXIETY	O UNCOMFORTABLE	O OTHER
WHAT HELPED ME FALL BACK ASLEEP	O EXERCISE	O BOOK	O MUSIC
	O FOOD	O MEDICATION	O OTHER

TIME I WOKE UP		TOTAL SLEEP TIME	

MY SLEEP RATING	O [1] O [2] O [3] O [4] O [5] O [6] O [7] O [8] O [9] O [10]

DID I SLEEP BETTER THAN THE NIGHT BEFORE?	O YES O NO

SLEEP JOURNAL

TE:		DAY:	O MON	O TUE	O WED	O THU	O FRI	O SAT	O SUN

EVENING ASSESSMENT

QUANTITY OF WATER CONSUMED		TOTAL EXERCISE TIME	
QUANTITY OF CAFFEINE / ALCOHOL		QUANTITY OF NICOTINE	

FOOD CONSUMED AFTER 6 P.M.	NAPS TAKE AND TIMES
	1
	2
	3

MEDICATIONS TAKEN	TIME	DOSAGE	TIMES

ACTIVITIES DONE TODAY	HOW DID I FEEL TODAY

MORNING ASSESSMENT

TIME I WENT TO BED		TIME I FELL ASLEEP	
NUMBER OF TIMES I WOKE UP		DURATION OF TIME AWAKE	

WHAT I WAS DOING BEFORE I FEEL ASLEEP	

WHAT WOKE ME UP	O TOILET	O TOO COLD	O BAD DREAM
	O ANXIETY	O UNCOMFORTABLE	O OTHER
WHAT HELPED ME FALL BACK ASLEEP	O EXERCISE	O BOOK	O MUSIC
	O FOOD	O MEDICATION	O OTHER

ME I WOKE UP		TOTAL SLEEP TIME	

SLEEP RATING	O [1] O [2] O [3] O [4] O [5] O [6] O [7] O [8] O [9] O [10]

O I SLEEP BETTER THAN THE NIGHT BEFORE?	O YES O NO

SLEEP JOURNAL

DATE:		DAY:	O MON	O TUE	O WED	O THU	O FRI	O SAT	O SU

EVENING ASSESSMENT

QUANTITY OF WATER CONSUMED		TOTAL EXERCISE TIME	
QUANTITY OF CAFFEINE / ALCOHOL		QUANTITY OF NICOTINE	

FOOD CONSUMED AFTER 6 P.M.	NAPS TAKE AND TIMES
	1
	2
	3

MEDICATIONS TAKEN	TIME	DOSAGE	TIMES

ACTIVITIES DONE TODAY	HOW DID I FEEL TODAY

MORNING ASSESSMENT

TIME I WENT TO BED		TIME I FELL ASLEEP	
NUMBER OF TIMES I WOKE UP		DURATION OF TIME AWAKE	

WHAT I WAS DOING BEFORE I FEEL ASLEEP	

WHAT WOKE ME UP	O TOILET	O TOO COLD	O BAD DREAM
	O ANXIETY	O UNCOMFORTABLE	O OTHER
WHAT HELPED ME FALL BACK ASLEEP	O EXERCISE	O BOOK	O MUSIC
	O FOOD	O MEDICATION	O OTHER

TIME I WOKE UP		TOTAL SLEEP TIME	

MY SLEEP RATING	O [1] O [2] O [3] O [4] O [5] O [6] O [7] O [8] O [9] O [10]

DID I SLEEP BETTER THAN THE NIGHT BEFORE?	O YES O NO

SLEEP JOURNAL

TE:		DAY:	O MON	O TUE	O WED	O THU	O FRI	O SAT	O SUN

EVENING ASSESSMENT

QUANTITY OF WATER CONSUMED		TOTAL EXERCISE TIME	
QUANTITY OF CAFFEINE / ALCOHOL		QUANTITY OF NICOTINE	

FOOD CONSUMED AFTER 6 P.M.	NAPS TAKE AND TIMES
	1
	2
	3

MEDICATIONS TAKEN	TIME	DOSAGE	TIMES

ACTIVITIES DONE TODAY	HOW DID I FEEL TODAY

MORNING ASSESSMENT

TIME I WENT TO BED		TIME I FELL ASLEEP	
NUMBER OF TIMES I WOKE UP		DURATION OF TIME AWAKE	

WHAT I WAS DOING BEFORE I FEEL ASLEEP			
WHAT WOKE ME UP	O TOILET	O TOO COLD	O BAD DREAM
	O ANXIETY	O UNCOMFORTABLE	O OTHER
WHAT HELPED ME FALL BACK ASLEEP	O EXERCISE	O BOOK	O MUSIC
	O FOOD	O MEDICATION	O OTHER

ME I WOKE UP		TOTAL SLEEP TIME	

SLEEP RATING	O [1] O [2] O [3] O [4] O [5] O [6] O [7] O [8] O [9] O [10]

) I SLEEP BETTER THAN THE NIGHT BEFORE?	O YES O NO

SLEEP JOURNAL

DATE:		DAY:	O MON	O TUE	O WED	O THU	O FRI	O SAT	O SU

EVENING ASSESSMENT

QUANTITY OF WATER CONSUMED		TOTAL EXERCISE TIME	
QUANTITY OF CAFFEINE / ALCOHOL		QUANTITY OF NICOTINE	

FOOD CONSUMED AFTER 6 P.M.	NAPS TAKE AND TIMES
	1
	2
	3

MEDICATIONS TAKEN	TIME	DOSAGE	TIMES

ACTIVITIES DONE TODAY	HOW DID I FEEL TODAY

MORNING ASSESSMENT

TIME I WENT TO BED		TIME I FELL ASLEEP	
NUMBER OF TIMES I WOKE UP		DURATION OF TIME AWAKE	

WHAT I WAS DOING BEFORE I FEEL ASLEEP			
WHAT WOKE ME UP	O TOILET	O TOO COLD	O BAD DREAM
	O ANXIETY	O UNCOMFORTABLE	O OTHER
WHAT HELPED ME FALL BACK ASLEEP	O EXERCISE	O BOOK	O MUSIC
	O FOOD	O MEDICATION	O OTHER

TIME I WOKE UP		TOTAL SLEEP TIME	

MY SLEEP RATING	O [1] O [2] O [3] O [4] O [5] O [6] O [7] O [8] O [9] O [10]

DID I SLEEP BETTER THAN THE NIGHT BEFORE?	O YES O NO

SLEEP JOURNAL

TE:		DAY:	O MON	O TUE	O WED	O THU	O FRI	O SAT	O SUN

EVENING ASSESSMENT

QUANTITY OF WATER CONSUMED		TOTAL EXERCISE TIME	
QUANTITY OF CAFFEINE / ALCOHOL		QUANTITY OF NICOTINE	

FOOD CONSUMED AFTER 6 P.M.	NAPS TAKE AND TIMES
	1
	2
	3

MEDICATIONS TAKEN	TIME	DOSAGE	TIMES

ACTIVITIES DONE TODAY	HOW DID I FEEL TODAY

MORNING ASSESSMENT

TIME I WENT TO BED		TIME I FELL ASLEEP	
NUMBER OF TIMES I WOKE UP		DURATION OF TIME AWAKE	

WHAT I WAS DOING BEFORE I FEEL ASLEEP	

WHAT WOKE ME UP	O TOILET	O TOO COLD	O BAD DREAM
	O ANXIETY	O UNCOMFORTABLE	O OTHER
WHAT HELPED ME FALL BACK ASLEEP	O EXERCISE	O BOOK	O MUSIC
	O FOOD	O MEDICATION	O OTHER

ME I WOKE UP		TOTAL SLEEP TIME	

SLEEP RATING	O [1] O [2] O [3] O [4] O [5] O [6] O [7] O [8] O [9] O [10]

D I SLEEP BETTER THAN THE NIGHT BEFORE?	O YES O NO

SLEEP JOURNAL

DATE:		DAY:	O MON	O TUE	O WED	O THU	O FRI	O SAT	O SU

EVENING ASSESSMENT

QUANTITY OF WATER CONSUMED		TOTAL EXERCISE TIME	
QUANTITY OF CAFFEINE / ALCOHOL		QUANTITY OF NICOTINE	

FOOD CONSUMED AFTER 6 P.M.	NAPS TAKE AND TIMES
	1
	2
	3

MEDICATIONS TAKEN	TIME	DOSAGE	TIMES

ACTIVITIES DONE TODAY	HOW DID I FEEL TODAY

MORNING ASSESSMENT

TIME I WENT TO BED		TIME I FELL ASLEEP	
NUMBER OF TIMES I WOKE UP		DURATION OF TIME AWAKE	

WHAT I WAS DOING BEFORE I FEEL ASLEEP	

WHAT WOKE ME UP	O TOILET	O TOO COLD	O BAD DREAM
	O ANXIETY	O UNCOMFORTABLE	O OTHER
WHAT HELPED ME FALL BACK ASLEEP	O EXERCISE	O BOOK	O MUSIC
	O FOOD	O MEDICATION	O OTHER

TIME I WOKE UP		TOTAL SLEEP TIME	

MY SLEEP RATING	O [1] O [2] O [3] O [4] O [5] O [6] O [7] O [8] O [9] O [10]

DID I SLEEP BETTER THAN THE NIGHT BEFORE?	O YES O NO

SLEEP JOURNAL

TE:		DAY:	O MON	O TUE	O WED	O THU	O FRI	O SAT	O SUN

EVENING ASSESSMENT

QUANTITY OF WATER CONSUMED		TOTAL EXERCISE TIME	
QUANTITY OF CAFFEINE / ALCOHOL		QUANTITY OF NICOTINE	

FOOD CONSUMED AFTER 6 P.M.	NAPS TAKE AND TIMES
	1
	2
	3

MEDICATIONS TAKEN	TIME	DOSAGE	TIMES

ACTIVITIES DONE TODAY	HOW DID I FEEL TODAY

MORNING ASSESSMENT

TIME I WENT TO BED		TIME I FELL ASLEEP	
NUMBER OF TIMES I WOKE UP		DURATION OF TIME AWAKE	

WHAT I WAS DOING BEFORE I FEEL ASLEEP	

WHAT WOKE ME UP	O TOILET	O TOO COLD	O BAD DREAM
	O ANXIETY	O UNCOMFORTABLE	O OTHER

WHAT HELPED ME FALL BACK ASLEEP	O EXERCISE	O BOOK	O MUSIC
	O FOOD	O MEDICATION	O OTHER

E I WOKE UP		TOTAL SLEEP TIME	

SLEEP RATING	O [1] O [2] O [3] O [4] O [5] O [6] O [7] O [8] O [9] O [10]

O I SLEEP BETTER THAN THE NIGHT BEFORE?	O YES O NO

SLEEP JOURNAL

DATE:		DAY:	O MON	O TUE	O WED	O THU	O FRI	O SAT	O SU

EVENING ASSESSMENT

QUANTITY OF WATER CONSUMED		TOTAL EXERCISE TIME	
QUANTITY OF CAFFEINE / ALCOHOL		QUANTITY OF NICOTINE	

FOOD CONSUMED AFTER 6 P.M.	NAPS TAKE AND TIMES
	1
	2
	3

MEDICATIONS TAKEN	TIME	DOSAGE	TIMES

ACTIVITIES DONE TODAY	HOW DID I FEEL TODAY

MORNING ASSESSMENT

TIME I WENT TO BED		TIME I FELL ASLEEP	
NUMBER OF TIMES I WOKE UP		DURATION OF TIME AWAKE	
WHAT I WAS DOING BEFORE I FEEL ASLEEP			

WHAT WOKE ME UP	O TOILET	O TOO COLD	O BAD DREAM
	O ANXIETY	O UNCOMFORTABLE	O OTHER
WHAT HELPED ME FALL BACK ASLEEP	O EXERCISE	O BOOK	O MUSIC
	O FOOD	O MEDICATION	O OTHER

TIME I WOKE UP		TOTAL SLEEP TIME	

MY SLEEP RATING	O [1] O [2] O [3] O [4] O [5] O [6] O [7] O [8] O [9] O [10]

DID I SLEEP BETTER THAN THE NIGHT BEFORE?	O YES O NO

SLEEP JOURNAL

TE:		DAY:	O MON	O TUE	O WED	O THU	O FRI	O SAT	O SUN

EVENING ASSESSMENT

QUANTITY OF WATER CONSUMED		TOTAL EXERCISE TIME	
QUANTITY OF CAFFEINE / ALCOHOL		QUANTITY OF NICOTINE	

FOOD CONSUMED AFTER 6 P.M.	NAPS TAKE AND TIMES	
		1
		2
		3

MEDICATIONS TAKEN	TIME	DOSAGE	TIMES

ACTIVITIES DONE TODAY	HOW DID I FEEL TODAY

MORNING ASSESSMENT

TIME I WENT TO BED		TIME I FELL ASLEEP	
NUMBER OF TIMES I WOKE UP		DURATION OF TIME AWAKE	

WHAT I WAS DOING BEFORE I FEEL ASLEEP	

WHAT WOKE ME UP	O TOILET	O TOO COLD	O BAD DREAM
	O ANXIETY	O UNCOMFORTABLE	O OTHER
WHAT HELPED ME FALL BACK ASLEEP	O EXERCISE	O BOOK	O MUSIC
	O FOOD	O MEDICATION	O OTHER

ME I WOKE UP		TOTAL SLEEP TIME	

SLEEP RATING	O [1] O [2] O [3] O [4] O [5] O [6] O [7] O [8] O [9] O [10]

D I SLEEP BETTER THAN THE NIGHT BEFORE?	O YES O NO

SLEEP JOURNAL

DATE:		DAY:	O MON	O TUE	O WED	O THU	O FRI	O SAT	O SU

EVENING ASSESSMENT

QUANTITY OF WATER CONSUMED		TOTAL EXERCISE TIME	
QUANTITY OF CAFFEINE / ALCOHOL		QUANTITY OF NICOTINE	

FOOD CONSUMED AFTER 6 P.M.	NAPS TAKE AND TIMES
	1
	2
	3

MEDICATIONS TAKEN	TIME	DOSAGE	TIMES

ACTIVITIES DONE TODAY	HOW DID I FEEL TODAY

MORNING ASSESSMENT

TIME I WENT TO BED		TIME I FELL ASLEEP	
NUMBER OF TIMES I WOKE UP		DURATION OF TIME AWAKE	

WHAT I WAS DOING BEFORE I FEEL ASLEEP	

WHAT WOKE ME UP	O TOILET	O TOO COLD	O BAD DREAM
	O ANXIETY	O UNCOMFORTABLE	O OTHER
WHAT HELPED ME FALL BACK ASLEEP	O EXERCISE	O BOOK	O MUSIC
	O FOOD	O MEDICATION	O OTHER

TIME I WOKE UP		TOTAL SLEEP TIME	

MY SLEEP RATING	O [1] O [2] O [3] O [4] O [5] O [6] O [7] O [8] O [9] O [10]

DID I SLEEP BETTER THAN THE NIGHT BEFORE?	O YES O NO

SLEEP JOURNAL

TE:		DAY:	O MON	O TUE	O WED	O THU	O FRI	O SAT	O SUN

EVENING ASSESSMENT

QUANTITY OF WATER CONSUMED		TOTAL EXERCISE TIME	
QUANTITY OF CAFFEINE / ALCOHOL		QUANTITY OF NICOTINE	

FOOD CONSUMED AFTER 6 P.M.	NAPS TAKE AND TIMES
	1
	2
	3

MEDICATIONS TAKEN	TIME	DOSAGE	TIMES

ACTIVITIES DONE TODAY	HOW DID I FEEL TODAY

MORNING ASSESSMENT

TIME I WENT TO BED		TIME I FELL ASLEEP	
NUMBER OF TIMES I WOKE UP		DURATION OF TIME AWAKE	

WHAT I WAS DOING BEFORE I FEEL ASLEEP	

WHAT WOKE ME UP	O TOILET	O TOO COLD	O BAD DREAM
	O ANXIETY	O UNCOMFORTABLE	O OTHER

WHAT HELPED ME FALL BACK ASLEEP	O EXERCISE	O BOOK	O MUSIC
	O FOOD	O MEDICATION	O OTHER

E I WOKE UP		TOTAL SLEEP TIME	

SLEEP RATING	O [1] O [2] O [3] O [4] O [5] O [6] O [7] O [8] O [9] O [10]

) I SLEEP BETTER THAN THE NIGHT BEFORE?	O YES O NO

SLEEP JOURNAL

DATE:		DAY:	O MON	O TUE	O WED	O THU	O FRI	O SAT	O SU

EVENING ASSESSMENT

QUANTITY OF WATER CONSUMED		TOTAL EXERCISE TIME	
QUANTITY OF CAFFEINE / ALCOHOL		QUANTITY OF NICOTINE	

FOOD CONSUMED AFTER 6 P.M.	NAPS TAKE AND TIMES
	1
	2
	3

MEDICATIONS TAKEN	TIME	DOSAGE	TIMES

ACTIVITIES DONE TODAY	HOW DID I FEEL TODAY

MORNING ASSESSMENT

TIME I WENT TO BED		TIME I FELL ASLEEP	
NUMBER OF TIMES I WOKE UP		DURATION OF TIME AWAKE	

WHAT I WAS DOING BEFORE I FEEL ASLEEP	

WHAT WOKE ME UP	O TOILET	O TOO COLD	O BAD DREAM
	O ANXIETY	O UNCOMFORTABLE	O OTHER
WHAT HELPED ME FALL BACK ASLEEP	O EXERCISE	O BOOK	O MUSIC
	O FOOD	O MEDICATION	O OTHER

TIME I WOKE UP		TOTAL SLEEP TIME	

MY SLEEP RATING	O [1] O [2] O [3] O [4] O [5] O [6] O [7] O [8] O [9] O [10]

DID I SLEEP BETTER THAN THE NIGHT BEFORE?	O YES O NO

SLEEP JOURNAL

TE:		DAY:	O MON	O TUE	O WED	O THU	O FRI	O SAT	O SUN

EVENING ASSESSMENT

QUANTITY OF WATER CONSUMED		TOTAL EXERCISE TIME	
QUANTITY OF CAFFEINE / ALCOHOL		QUANTITY OF NICOTINE	

FOOD CONSUMED AFTER 6 P.M.	NAPS TAKE AND TIMES	
		1
		2
		3

MEDICATIONS TAKEN	TIME	DOSAGE	TIMES

ACTIVITIES DONE TODAY	HOW DID I FEEL TODAY

MORNING ASSESSMENT

TIME I WENT TO BED		TIME I FELL ASLEEP	
NUMBER OF TIMES I WOKE UP		DURATION OF TIME AWAKE	

WHAT I WAS DOING BEFORE I FEEL ASLEEP	

WHAT WOKE ME UP	O TOILET	O TOO COLD	O BAD DREAM
	O ANXIETY	O UNCOMFORTABLE	O OTHER
WHAT HELPED ME FALL BACK ASLEEP	O EXERCISE	O BOOK	O MUSIC
	O FOOD	O MEDICATION	O OTHER

ME I WOKE UP		TOTAL SLEEP TIME	

SLEEP RATING	O [1] O [2] O [3] O [4] O [5] O [6] O [7] O [8] O [9] O [10]

O I SLEEP BETTER THAN THE NIGHT BEFORE?	O YES O NO

Made in the USA
Coppell, TX
28 May 2021

56412618R00083